D0445811

LE MEURTRE DE ROGER ACKROYD

Paru dans Le Livre de Poche :

LE CHEVAL À BASCULE.
DIX PETITS NÈGRES.
LES VACANCES D'HERCULE POIROT.
LE CRIME DU GOLF.
LE VALLON.
LE NOËL D'HERCULE POIROT.
MEURTRE EN MÉSOPOTAMIE.
LE CRIME DE L'ORIENT-EXPRESS.
A.B.C. CONTRE POIROT.
CARTES SUR TABLE.
LA MYSTÉRIEUSE AFFAIRE DE STYLES.
CINQ PETITS COCHONS.
MEURTRE AU CHAMPAGNE.
LES SEPT CADRANS.
L'AFFAIRE PROTHÉRO.
MR. BROWN.
LE TRAIN BLEU.
L'HOMME AU COMPLET MARRON.
LE COUTEAU SUR LA NUQUE.
LA MORT DANS LES NUAGES.
LE SECRET DE CHIMNEYS.
LA MAISON DU PÉRIL.
CINQ HEURES VINGT-CINQ.
LES QUATRE.
MORT SUR LE NIL.
UN CADAVRE DANS LA BIBLIOTHÈQUE.
UN MEURTRE SERA COMMIS LE...
LE CHAT ET LES PIGEONS.
LA NUIT QUI NE FINIT PAS.
LE CHEVAL PÂLE.
JE NE SUIS PAS COUPABLE.
POURQUOI PAS EVANS ?
L'HEURE ZÉRO.
UN, DEUX, TROIS...
N OU M ?
RENDEZ-VOUS À BAGDAD.
UNE POIGNÉE DE SEIGLE.
LA PLUME EMPOISONNÉE.
LA MAISON BISCORNUE.
LE TRAIN DE 16 HEURES 50.
LE MAJOR PARLAIT TROP...
TÉMOIN À CHARGE.
LE FLUX ET LE REFLUX.
LES INDISCRÉTIONS D'HERCULE POIROT.
DRAME EN TROIS ACTES.
POIROT JOUE LE JEU.
LA MORT N'EST PAS UNE FIN.
LES PENDULES.
LE CRIME EST NOTRE AFFAIRE.
TÉMOIN MUET.
MISS MARPLE AU CLUB DU MARDI.
LE CLUB DU MARDI CONTINUE.
UNE MÉMOIRE D'ÉLÉPHANT.
RENDEZ-VOUS AVEC LA MORT.
TROIS SOURIS.
LE MIROIR SE BRISA.
LE RETOUR D'HERCULE POIROT.
JEUX DE GLACES.
ALLÔ, HERCULE POIROT.

Sous le nom de Mary Westmacott :

PORTRAIT INACHEVÉ.
LOIN DE VOUS CE PRINTEMPS.

Dans la Série Jeunesse :

A.B.C. CONTRE POIROT.
LE CRIME DE L'ORIENT-EXPRESS.

AGATHA CHRISTIE

Le Meurtre de Roger Ackroyd

TRADUIT DE L'ANGLAIS PAR MIRIAM DOU-DESPORTES

PRÉFACE DE GEORGES ARNAUD

LIBRAIRIE DES CHAMPS-ÉLYSÉES

PRÉFACE

AVEC *la désinvolture du droit divin, la critique littéraire — que les tenants d'une hiérarchie des genres s'accordent à placer dans les derniers rangs — ne se cache pas, quant à elle, de reléguer le roman policier parmi les genres mineurs. Pleinement sensible au saugrenu qu'il y a dans le souci de ranger les vanités par catégories, on rendra néanmoins hommage à la belle santé qu'il faut pour assumer une vie durant le ridicule des palmarès qui en découlent.*

Mineur est un vocable des sots.

Les catégories sont arbitraires. Ce n'est que sur pièces qu'un jugement est possible. Ce n'est que sur les œuvres qu'il y a lieu de former un jugement. Réussi ou pas? Bon? Pas bon? C'est tout.

Reste ce fait, que de propos délibéré, la grande critique ignore la littérature policière. Aux comptes rendus la concernant, la presse d'information marchande des emplacements déshérités et une périodicité incertaine. Ce sera aujourd'hui, demain, dans quatre jours ou dans quinze, à la rubrique « Autres lectures » ou « De tout un peu », pêle-mêle, au dépotoir.

Il y a bien quelques publications spécialisées. Mais elles sont peu lues.

Pratiquement privé de moyens pour éclairer son choix, le public s'en tirera au prix d'une mésaventure, il est vrai, d'assez mince conséquence : il est aussi rare de découvrir un bon roman policier que n'importe quel bon roman d'une autre sorte. Ici ou là, c'est la réussite qui constitue l'exception.

La mauvaise surprise sera cause qu'un autre ouvrage — bon peut-être, celui-là — sera une autre fois laissé pour compte. Faute, en effet, que le public soit alerté sur la valeur de ce que produit journellement la littérature policière, le cas n'est pas rare qu'un très bon roman tombe dans un trou dès sa parution. Passé inaperçu dans les vitrines, il finira sans tapage au pilon. Ce sera dommage pour le livre, dommage pour l'auteur, dommage aussi pour quiconque à le lire eût pu prendre quelque plaisir. Ou encore, après quelques jours d'un succès « bien parisien » — mais c'est la province qui sait lire, et se souvient de ses lectures —, tel autre bouquin qui n'était pas sans qualités basculera du jour au lendemain dans l'oubli.

En considération de ces problèmes, Le livre de Poche *a décidé d'adjoindre à son catalogue un certain nombre de romans policiers, sélectionnés parmi les classiques du genre; on trouvera ici* Le Meurtre de Roger Ackroyd, *chef-d'œuvre d'Agatha Christie. Qu'on prenne seulement le mot, si on le veut, dans sa signification originelle : il est bien vrai de dire qu'avec* Roger Ackroyd, *Agatha Christie a pris rang parmi les maîtres.*

Rien qu'en France, à compter de la première paru-

tion, en 1927, dans la traduction de Mme Dou-Desportes, ce livre a été constamment réimprimé pendant vingt-huit ans. Et voici qu'aujourd'hui, une nouvelle étape s'ouvre à sa diffusion. Ces faits méritent mention, pas seulement à raison de leur caractère d'exception. Révélation, puis best-seller : nul ouvrage ayant connu un tel destin ne saurait manquer d'intérêt, ni d'importance; si ce n'est pour ses qualités propres, ce sera à tout le moins pour le témoignage qu'il porte sur le public qui lui a fait son succès. Pour Le Meurtre de Roger Ackroyd, *il n'est point douteux que tout a résulté des mérites du livre. Mais pour les faire de mon mieux saisir, je devrais évoquer la première lecture que j'en fis, étant enfant; et, pour devoir ainsi parler de moi, je demande qu'on veuille bien trouver ici mes excuses.*

Le roman me vint dans les mains, je pense, guère plus d'un an après son lancement en 1927. Ma principale occupation d'alors, c'était le latin. Poussé sans ménagements par un père chartiste — exceptionnellement coléreux — qu'assistait un sien ami — chartiste d'un tempérament flegmatique et têtu —, j'avais marché très fort dès le début, y ayant pris goût dès la première année, à l'issue de laquelle j'avais deux ou trois classes d'avance sur mes copains du lycée, et je continuais d'avancer.

On aurait tort de croire qu'il n'y a pas de lien avec Agatha Christie. C'était, au contraire, une assez bonne préparation, en ce que, d'abord, j'y avais pris goût aux jeux de la logique. Et puis, qu'on ne s'y trompe pas : du texte latin au détective novel, *les mêmes mécanismes mentaux sont en cause, qu'il faut conduire par des voies fort semblables. Pour un lycéen de langue française qui aborde le latin, ce qui en constitue la nouveauté et la caractéristique essentielle, c'est que, non seulement les verbes, mais aussi les substantifs, prennent différentes formes au gré de la fonction qu'ils assument dans la phrase. De là découlent de remarquables similitudes. Les désinences jouent dans le texte latin un rôle identique à celui des indices dans un problème policier. Une fois ceux-ci relevés, puis correctement interprétés, tout s'enchaîne, devient évident. Il en va dans le cadre de la sentence latine comme dans celui de l'enquête criminelle. En revanche, pour un indice passé inaperçu, pour une désinence mal comprise, il suffira qu'un seul point reste obscur pour faire obstacle à tout, et que rien n'aboutisse. Brûler l'étape n'est pas permis. Défense de deviner. Ni dans les déductions d'Hercule Poirot, ni dans une version latine il n'y a place pour l'intuition, qui serait une dangereuse tricherie. Reste pour le potache, ou pour le petit policier belge, à tourner et retourner entre les doigts, l'un après l'autre, tous les pions disponibles. Reste à piétiner le temps qu'il faudra. Reste à chercher, chercher, et continuer de chercher.*

J'ouvris pour la première fois Le Meurtre de Roger Ackroyd *avec un grand esprit de méthode : page de garde, faux-titre, page de titre. A la première ligne de la première page de texte, Mme Ferrars mourait. On commençait à peine à parler du roman policier, alors. Le jeu d'esprit d'avant, c'étaient les mots croisés, qui d'ailleurs ne laissent pas d'offrir des traits de parenté. Lancée à Paris il n'y avait pas cinq ans dans un salon littéraire, la mode en brillait encore d'un éclat presque neuf. Quant au roman policier, tout ce qu'on en savait, c'est qu'il y avait des crimes. Ayant trouvé cette morte — Mme Ferrars — jetée ainsi, d'entrée de jeu, sur le tapis, je m'attendais à d'extraordinaires débordements de férocité dans la suite du récit. Public ordinaire, je ne sais si cette bénignité de forme des actions criminelles m'eût causé la même surprise. Mais il y avait dix mille bouquins chez nous, où j'avais eu libre accès du jour où je sus lire, vers les quatre ans. J'en avais maintenant douze. Tout ce que je pouvais savoir sur le sang versé et sur la mort violente, je l'avais appris dans* L'Assiette au Beurre, *dont mon père avait la collection intégrale, du premier au dernier numéro. C'était un journal de dessinateurs dont je ne sache pas, dans l'histoire de la presse française, que la violence ait jamais été égalée. Quand les gendarmes fusillaient des grévistes, quand des révolutionnaires, avec un grand sourire heureux, trouvaient quelque occasion de tuer des riches, quand,* ultima ratio, *la guillotine apportait son argument à la cause du retour au calme, alors un dessin dans* L'Assiette au Beurre *disait ce qu'il y avait à dire; sans ménager les hideuses fausses pudeurs des cœurs fragiles. S'il y avait eu des morts, on n'y lésinait pas sur les cadavres, ni sur le sang, ni sur la faim, ni sur la haine. Il y avait huit ans que je lisais* L'Assiette au Beurre. *Les crimes d'Agatha Christie me déroutèrent au premier abord par leur ouaté de bonne compagnie.*

J'y découvris cependant un élément de merveilleux qui me charma. Parmi les circonstances les plus irréelles, dans une atmosphère de Mah-Jong et de tonnelles au milieu des gazons, dans les parfums du thé embaumant chaque pièce d'une gentilhommière de village, et chaque page entre mes doigts, dans cet univers de cant *et de bénignité où rien, ni peines de cœur, ni bavardages, ni chantages, ni crimes perpétrés au poison et au poignard, où rien, à aucun moment, ne cessait d'être futile, on voyait, sous la dérisoire férule d'un petit personnage ridicule nommé Hercule Poirot, le règne implacable de la logique, imposant sa loi de fer, à la fois à cet homme qui mène l'enquête de façon si bourgeoise, au criminel tout occupé d'en suivre et contrer les démarches, sans jamais laisser voir qu'un visage insouciant à l'auteur, enfin — surtout —, qui ayant à tâche de conduire le récit à travers deux cent cinquante pages jusqu'au mot fin, sans laisser deviner sa solution, ne s'en interdit pas moins de dissimuler au lecteur un seul atout, fût-ce le plus mince, et n'avancera pas la moitié d'un mot, dans les révélations de la fin, qu'il ne s'appuie sur un fait précédemment rapporté.*

De bout en bout, la logique règne, conduisant le ballet abstrait des déductions et des feintes, la logique régente tout sans concession et tient verrouillées les issues, par où le récit pourrait tenter une évasion vers quelque autre domaine. Elle inspire et réglemente avec une égale minutie. La logique est partout. Autant dire qu'on est en pleine et pure fiction. Le Meurtre de Roger Ackroyd *y gagne une épaisseur poétique qu'on n'avait point pressentie au premier regard. Logique pure et pure fiction : le crime à l'état pur défie le pur esprit de déduction. Et leur pureté de trajectoire exige des personnages eux-*

mêmes qu'ils soient purs de tout substratum et de toute motivation psychologique. Purs même de tout mobile seront les crimes. Vingt mille livres : un chiffre qu'on aura nommé, et ce sera assez. Ni besoins qui pressent, ni vices ou passions qu'il faut bien satisfaire : le seul énoncé d'une somme. Le mot « argent » ne sera pas prononcé. Et ainsi sublimé dans l'abstrait, voilà enfin le mobile réduit à la même pureté que le reste, grâce à quoi le vide total étant fait, la logique aura les coudées franches.

Si bien qu'à la dernière page, ayant suivi dans un esprit de loyale critique un exposé d'Hercule Poirot lui démontrant plus clair qu'au tableau noir que c'est lui le coupable, le criminel, radieusement terrassé par la logique, n'est pas effleuré par l'idée qu'il pourrait ergoter ou s'enfuir, ou tirer une arme de sa poche et disperser l'assistance. La démonstration l'a convaincu : que demanderait-il d'autre ? Avec ce fair play *qui fait l'honneur des sciences exactes, une notion de criminel, pour les notions de forfaits perpétrés, accepte la notion de châtiment. Il y a là-dedans de la grandeur, du savoir-vivre, tout le vertical mépris qui est dû à l'imagination; et, liant le tout, de la logique à en mourir.*

Non seulement rigoureux, honnête, excellemment construit, Le Meurtre de Roger Ackroyd *est aussi un grand livre par cette poésie qu'on a le sentiment d'avoir mal évoquée dans ces lignes. Mais ce n'est plus que l'affaire d'une page à tourner pour y entrer de plain-pied et, enfin, sans intermédiaire.*

GEORGES ARNAUD.

CHAPITRE PREMIER

LE DOCTEUR SHEPPARD PREND SON PREMIER DÉJEUNER

Mme Ferrars mourut dans la nuit du 16 au 17 septembre, un jeudi. On m'envoya chercher le vendredi 17, vers huit heures du matin. Mais il n'y avait rien à faire et la mort remontait à plusieurs heures.

Je rentrai chez moi peu après neuf heures. J'ouvris la porte avec ma clef et je restai exprès dans le vestibule quelques instants de plus qu'il n'était nécessaire, pour pendre mon chapeau et mon pardessus. En réalité, j'étais bouleversé et préoccupé. Je ne prétendrai pas, maintenant, que j'aie, dès cet instant, prévu les événements qui devaient se dérouler au cours des semaines suivantes, car ce ne serait pas exact. Mais mon instinct m'avertissait que j'allais éprouver des émotions.

Un bruit de tasses remuées, accompagné de la petite toux sèche de ma sœur Caroline, partit de la salle à manger dont la porte s'ouvrait à gauche du vestibule.

« Est-ce toi, James ? » appela ma sœur.

Cette question était fort inutile, car quelle autre

personne eût pu entrer ainsi ? C'était justement à cause de Caroline que je m'attardais un peu.

Kipling nous dit que la devise de la gent mangouste pourrait se résumer en cette courte phrase : « Pars et va à la découverte ! »

Si jamais Caroline veut se faire faire des armes parlantes, je lui conseillerai d'adopter l'effigie d'une mangouste. Cependant, en ce qui la concerne, on pourrait supprimer la première partie de la devise, car, tout en restant paisiblement à la maison, ma sœur fait un nombre incalculable de découvertes. Je ne sais pas comment cela lui est possible, mais le fait est indéniable. Je suppose que les domestiques et les fournisseurs constituent son bureau d'informations. Lorsqu'elle sort, ce n'est pas pour recueillir des nouvelles, mais au contraire, pour les répandre. En cela, elle est aussi extraordinairement experte.

Et c'était bien cette particularité de son caractère qui me causait certaine perplexité.

Quels que fussent les détails que je donnerais à Caroline au sujet du décès de Mme Ferrars, le village tout entier les connaîtrait au bout d'une heure et demie.

Je suis, bien entendu, en ma qualité de médecin, tenu au secret professionnel. J'ai donc pris l'habitude de ne rien confier à ma sœur. Elle découvre généralement ce que je lui ai caché, mais j'ai la satisfaction intime de n'être aucunement responsable.

Le mari de Mme Ferrars est mort, il y a juste un an, et Caroline n'a pas cessé d'affirmer, sans en avoir la moindre preuve, que sa femme l'a empoisonné. Elle se moque de moi quand je déclare que M. Ferrars est mort d'une gastrite aiguë, aggravée par l'absorption constante de boissons alcooliques. Je reconnais que les symptômes de la gastrite et de l'empoisonnement par l'arsenic se ressemblent quelque peu, mais Caroline base son accusation sur de tout autres considérations !

« Vous n'avez qu'à la regarder ! » l'ai-je entendue déclarer à maintes reprises.

Tout en n'étant pas très jeune, Mme Ferrars était restée fort séduisante et s'habillait avec goût quoique simplement. Mais, nombre de femmes font venir leurs toilettes de Paris et n'empoisonnent pas, nécessairement, pour cela, leurs maris.

Tandis que je m'attardais dans le vestibule, en pensant à toutes ces choses, la voix de Caroline s'éleva de nouveau, un peu plus sèche que la première fois.

« Que fais-tu donc là, James ? Pourquoi ne viens-tu pas déjeuner ?

— J'arrive, ma chère, répondis-je vivement. Je suspendais mon pardessus.

— Tu aurais eu le temps d'en suspendre une douzaine depuis que tu es rentré ! »

C'était fort exact.

Je pénétrai dans la salle à manger, effleurai, comme à l'ordinaire, la joue de Caroline et m'assis devant les œufs au jambon, un peu froids.

« Tu as été appelé de bonne heure, observa Caroline.

— Oui, dis-je, à King's Paddock pour Mme Ferrars.

— Je sais, reprit ma sœur.

— Comment le sais-tu ?

— Annie me l'a dit. »

Annie est notre femme de chambre. C'est une brave fille, mais une terrible bavarde.

Il y eut un silence et je continuai à manger mes œufs. Le nez long et mince de Caroline frémissait légèrement à son extrémité, ce qui indique toujours qu'elle est agitée par la curiosité.

« Eh bien ? demanda-t-elle.

— Triste affaire. Rien à tenter. Elle a dû mourir en dormant.

— Je sais », dit encore ma sœur.

Cette fois je me sentis vexé.

« Tu ne peux pas savoir, déclarai-je. J'ignorais tout moi-même avant d'arriver là-bas et je n'ai soufflé mot à personne de ce que j'ai constaté. Si Annie est au courant elle a le don de double vue.

— Ce n'est pas Annie qui me l'a appris, c'est le laitier qui le tenait de la cuisinière de Mme Ferrars. »

Ainsi que je l'ai déclaré, Caroline n'a pas besoin de se déplacer pour connaître les nouvelles qui viennent à elle tout naturellement. Elle reprit :

« De quoi est-elle morte ? Arrêt du cœur ?

— Le laitier ne te l'a-t-il pas dit ? » demandai-je ironiquement.

Mais le sarcasme fait long feu avec Caroline qui ne le comprend pas.

« Il ne le savait pas », déclara-t-elle.

En somme, il était évident qu'elle apprendrait tôt ou tard la vérité; autant valait que ce fût par moi.

« Elle est morte pour avoir pris une dose trop forte de véronal. Elle souffrait d'insomnies depuis quelque temps et a dû se tromper.

— Allons donc, s'exclama Caroline, elle s'est suicidée. »

N'avez-vous jamais constaté que, lorsque vous

nourrissez une conviction dont vous ne désirez pas parler, vous la niez furieusement si elle est exprimée par une autre personne ? Je m'écriai avec indignation :

« Tu es toujours la même ! Pourquoi Mme Ferrars se serait-elle suicidée ? Veuve, encore jeune, très riche, ayant une bonne santé et pouvant jouir de l'existence ! C'est absurde.

— Pas du tout. Tu as bien dû t'apercevoir à quel point elle avait changé depuis environ six mois ? Elle était absolument décomposée. D'ailleurs, tu reconnais toi-même qu'elle ne pouvait plus dormir.

— Et quel est ton diagnostic ? demandai-je froidement. Des peines de cœur, je suppose ?

— Le remords ! dit-elle avec emphase.

— Le remords ?

— Oui, tu n'as jamais voulu me croire lorsque je t'ai affirmé qu'elle avait empoisonné son mari. J'en suis plus convaincue que jamais maintenant.

— Je te trouve illogique, observai-je. Si une femme possède assez de sang-froid pour commettre un assassinat, elle est évidemment capable d'en retirer les avantages, sans éprouver de repentir.

— Certaines femmes, peut-être, mais pas Mme Ferrars qui était une nerveuse. Une impulsion irraisonnée l'a poussée à se débarrasser de son mari parce qu'elle ne pouvait supporter les ennuis... Or, il est certain qu'unie à un homme tel qu'Ashley Ferrars, elle ne devait pas en manquer... »

J'acquiesçai.

« Mais, depuis, le remords l'a hantée. Je ne peux m'empêcher de la plaindre. »

Je ne crois pas que Caroline ait jamais songé à plaindre Mme Ferrars de son vivant. Maintenant que celle-ci se trouvait en un endroit où elle ne pourrait plus — du moins, je le suppose — porter des robes ayant le chic parisien, ma sœur était disposée à la pitié.

Je lui déclarai, avec fermeté, que ses idées étaient ridicules et je fus d'autant plus affirmatif que j'avais, à part moi, la même opinion qu'elle. Mais je n'allais pas encourager Caroline à suivre cette voie, car elle irait raconter ses déductions à tous les habitants du village qui la croiraient informée par moi. La vie est bien difficile.

« Tu verras, reprit ma sœur, car je suis certaine qu'elle a écrit sa confession.

— Elle n'a rien écrit du tout, déclarai-je sèchement, sans penser à ce que cette allégation impliquait.

— Oh ! dit Caroline, tu t'en es donc informé ? Dans le fond de ton cœur, James, tu as la même impression que moi et tu n'es qu'un vieil hypocrite.

— On peut toujours envisager l'hypothèse d'un suicide, répondis-je.

— Y aura-t-il une enquête ?

— C'est possible; cela dépend. Si je déclare avoir la conviction que la dose de véronal a été absorbée accidentellement, l'enquête pourra être évitée.

— As-tu cette conviction ? » demanda finement ma sœur.

Je me levai de table sans répondre.

CHAPITRE II

LES HABITANTS DE KING'S ABBOT

Avant de continuer mon récit, il est peut-être utile que je donne une idée de ce que j'appellerai notre situation géographique.

Notre village de King's Abbot ressemble, je crois, à beaucoup d'autres villages. La ville la plus rapprochée est Cranchester, qui se trouve à neuf kilomètres. Il y a une gare importante, un petit bureau de poste et deux magasins rivaux. Les jeunes gens quittent de bonne heure ce coin paisible, qui compte plusieurs vieilles demoiselles et de nombreux officiers retraités. Le passe-temps principal des habitants peut être résumé d'un mot : Potins ! Il n'y a que deux propriétés importantes à King's Abbot : l'une est « King's Paddock », légué à Mme Ferrars par feu son mari, l'autre est « Fernly Park », qui appartient à Roger Ackroyd. Ackroyd m'a toujours paru être le prototype du gentilhomme campagnard anglais, au visage enluminé, que l'on voit dans les vieilles opérettes. Cependant, ce n'est pas, à proprement parler, un gentilhomme campagnard, car c'est un gros industriel. Il a environ cinquante ans, la figure rouge et des manières affables. Il est intime avec le pasteur et s'inscrit généreusement sur les listes de quête de la paroisse, bien qu'il ait la réputation d'être fort avare en ce qui concerne ses dépenses personnelles. Il patronne les matches de cricket, les associations de jeunes gens et les Refuges pour soldats blessés. En somme, Roger Ackroyd est l'âme de notre tranquille bourgade.

Lorsqu'il avait vingt et un ans, il devint amoureux d'une femme fort belle, de cinq ou six ans plus âgée que lui, et l'épousa. Elle se nommait Paton; elle était veuve et avait un enfant. Leur union fut courte et douloureuse, car Mme Ackroyd buvait et mourut, dans une crise de *delirium tremens,* quatre ans après son mariage.

Ackroyd se montra, par la suite, assez peu enclin à tenter une seconde épreuve matrimoniale. Son beau-fils n'avait que sept ans au moment où sa mère mourut, il en a vingt-cinq aujourd'hui. Roger l'a toujours considéré comme son propre fils et l'a élevé en conséquence; mais c'est un garçon terrible qui lui a donné bien des tourments. Cependant, à King's Abbot, nous aimons tous beaucoup Ralph Paton.

Ainsi que je l'ai déjà dit, le village est toujours prêt à accueillir les bavardages. On remarqua tout de suite que Mme Ferrars et Roger Ackroyd paraissaient fort bien s'entendre. Leur intimité devint plus marquée après la mort du mari; ils sortaient beaucoup ensemble et l'on supposait qu'ils se marieraient dès que la veuve aurait quitté le deuil.

N'y avait-il pas là, du reste, quelque chose de fort normal ?

La femme de Roger Ackroyd était morte pour avoir trop bu. Ashley Ferrars avait été un ivrogne invétéré. Quoi de plus naturel que les deux victimes se consolassent l'une l'autre !

Les Ferrars n'étaient venus habiter le pays que peu de temps avant la mort du mari. Mais Ackroyd avait toujours été le point de mire des commérages.

Durant l'éducation de Ralph Paton, une série de gouvernantes présidèrent aux destinées de la maison Ackroyd et, à tour de rôle, chacune d'elles fut observée avec méfiance par Caroline et ses amies. Je puis, sans exagération, affirmer que, pendant quinze ans au moins, le village tout entier s'attendit à voir Ackroyd épouser l'une des personnes qui dirigèrent successivement son intérieur.

La dernière, une femme redoutable, appelée Miss Russell, régnait sur la maison depuis cinq ans et, de l'avis général, sans l'apparition de Mme Ferrars, Ackroyd aurait difficilement pu lui échapper.

Cependant Miss Russell avait trouvé un autre adversaire dans la personne d'une belle-sœur de Roger, qui était arrivée inopinément, du Canada, avec sa fille.

Mme Cyrille Ackroyd, veuve d'un frère assez peu recommandable de Fernly Park, s'y était définitivement installée et avait, au dire de Caroline, « remis Miss Russell à sa place ».

Je ne sais pas exactement quel sens elle donne à ces mots, mais ce dont je suis certain c'est que Miss Russell prend une expression pincée et qu'elle manifeste en apparence la plus profonde sympathie pour « cette pauvre Mme Ackroyd, obligée d'avoir recours à la charité de son beau-frère... le pain d'autrui est tellement amer ! Je serais bien malheureuse si je ne gagnais pas ma vie !... »

J'ignore ce que Mme Cyrille Ackroyd pensa de l'idylle Ferrars lorsqu'elle se dessina à l'horizon, car elle avait nettement intérêt à ce que son beau-frère ne se mariât pas. Lorsqu'elle rencontrait Mme Ferrars, elle était charmante avec elle... mais Caroline affirme que cela ne prouve rien !

Telles ont été les préoccupations de King's Abbot depuis ces dernières années. Ackroyd et ses sentiments ont été passés au crible. Mais, maintenant, nous voici brusquement entrés en plein drame.

Je fis ma tournée de visites médicales en me remémorant tout cela. Je n'avais pas de malades particulièrement intéressants à voir, ce qui était, peut-être, heureux, car mon esprit revenait sans cesse au mystère qui entourait la mort de Mme Ferrars.

S'était-elle suicidée ? Si elle avait eu l'intention de le faire, n'eût-elle pas laissé une lettre annonçant son dessein ?

Mon expérience me porte à croire que, lorsqu'une femme s'est décidée à attenter à ses jours, elle désire exposer les raisons de son acte. La mise en scène n'est pas pour lui déplaire !

Quand l'avais-je vue vivante pour la dernière fois ? La semaine précédente et son attitude avait été normale étant donné... les circonstances.

Soudain, je me souvins que je l'avais aussi aperçue la veille, mais je ne lui avais pas parlé. Elle se promenait avec Ralph Paton et j'en avais été surpris car j'ignorais que le jeune homme se trouvât à King's Abbot; je croyais même qu'il s'était irrémédiablement brouillé avec son beau-père, car il n'était pas venu chez ce dernier depuis six mois.

Mme Ferrars et lui paraissaient causer avec animation.

Je crois pouvoir affirmer, en toute sincérité, qu'en me rappelant cela j'eus le pressentiment de l'avenir; rien de tangible, évidemment, mais un vague avertissement de la tournure qu'allaient prendre les événements.

Le tête-à-tête de Ralph Paton et de Mme Ferrars me frappa désagréablement.

J'y pensais encore lorsque je me trouvai en face de Roger Ackroyd.

« Sheppard ! s'écria-t-il. Vous êtes justement l'homme que je désirais rencontrer. Quelle terrible chose !

— Vous avez appris ? »

Il inclina la tête. Il était évident que la nouvelle l'avait bouleversé. Ses joues rubicondes s'étaient creusées et son aspect jovial avait complètement disparu.

« C'est plus affreux encore que vous ne pouvez le croire, dit-il avec calme. Il faut que nous causions ensemble, Sheppard. Pouvez-vous rentrer avec moi, maintenant ?

— Difficilement, j'ai encore trois malades à voir et il faut qu'ensuite je retourne à la maison pour ma consultation.

— Cet après-midi alors... Ou, mieux encore, venez dîner ce soir avec moi, à sept heures et demie, cela vous convient-il ?

— Oui, je m'arrangerai... mais qu'y a-t-il ? S'agit-il de Ralph ? »

Je ne sais pas pourquoi je prononçai ces paroles... Il est vrai qu'il s'était agi si souvent de Ralph !

Ackroyd me regarda sans comprendre et je me

rendis compte qu'il devait, en effet, y avoir quelque chose de grave car je ne l'avais jamais vu aussi bouleversé.

« Ralph ? répéta-t-il. Oh ! non, il n'est pas question de Ralph; il est à Londres... Damnation ! voici la vieille Miss Ganett ! Je ne veux pas lui parler de cette lamentable affaire. A ce soir, Sheppard, sept heures et demie. »

J'acquiesçai et il me quitta en hâte.

Ralph à Londres ! Mais il était certainement venu la veille à King's Abbot; il avait donc dû repartir le soir ou, de bonne heure, ce matin même. Cependant Ackroyd avait parlé de lui comme s'il ne l'avait pas vu depuis plusieurs mois !

Je n'eus pas le temps de réfléchir longuement car Miss Ganett se précipitait sur moi, avide de s'informer. Miss Ganett ressemble à ma sœur Caroline, avec cette différence qu'elle n'arrive pas à des résultats aussi brillants. Elle était haletante et anxieuse.

La mort de la pauvre chère Mme Ferrars n'était-elle pas une chose affreuse ? Plusieurs personnes disaient qu'elle s'adonnait aux stupéfiants depuis de nombreuses années. Les gens sont souvent bien méchants, mais il y a parfois un grain de vérité dans leurs allégations ! Pas de fumée sans feu. On prétend également que M. Ackroyd avait découvert ce défaut et avait, en conséquence, rompu ses fiançailles... car il y avait eu des fiançailles. Miss Ganett en était absolument certaine et je savais assurément la vérité — les médecins la savent toujours, mais ils sont muets !

Elle fixait sur moi des yeux aigus pour voir comment je réagirais. Heureusement, ma longue intimité avec Caroline m'a appris à demeurer impassible et à tenir prêtes d'évasives réponses.

Je félicitai donc Miss Ganett de ne pas prendre part aux médisances, ce qui ne laissa pas que de l'embrasser, et je repris mon chemin.

Rentré chez moi, j'y trouvai plusieurs clients; je les examinai et je croyais pouvoir passer quelques instants dans mon jardin, avant de déjeuner, lorsque je m'aperçus qu'il y avait encore une personne dans mon salon d'attente. Elle se leva et, en la reconnaissant, je fus fort étonné, sans doute parce que Miss Russell paraît si vigoureuse qu'elle semble ne jamais devoir recourir aux soins d'un médecin.

La gouvernante d'Ackroyd est une femme grande, assez belle, mais d'aspect rébarbatif. Elle a des yeux sévères, une bouche pincée, et il me semble que, si j'étais domestique sous ses ordres, je tremblerais du matin au soir.

« Bonjour, docteur, dit-elle. Je vous serais fort obligée si vous vouliez bien examiner mon genou. »

Je l'examinai, mais n'y découvris rien et l'exposé de ses souffrances que me fit Miss Russell était si vague, que je la suspectai, un instant, d'avoir inventé ce mal dans le seul but de m'interroger au sujet de la mort de Mme Ferrars. Je m'aperçus que je l'avais mal jugée, car elle ne fit qu'une vague allusion à cet événement. Cependant il était évident qu'elle désirait causer avec moi.

« Merci infiniment de m'avoir donné ce liniment, docteur, dit-elle enfin, bien que je ne pense pas qu'il doive produire un résultat. »

Je ne le pensais pas non plus, mais je fus obligé de protester. Il ne lui ferait aucun mal et il faut soutenir sa profession.

« Je ne crois pas aux drogues, reprit Miss Russell en examinant mes fioles avec méfiance. Elles sont même parfois funestes. Songez à la cocaïnomanie. Elle est très fréquente dans la haute société. »

Il est probable que Miss Russell connaît mieux les habitudes de la haute société que moi, aussi n'essayai-je pas d'en discuter avec elle.

« Dites-moi, docteur, reprit-elle, peut-on se guérir si l'on est véritablement esclave d'une habitude de ce genre ? »

On ne peut répondre en quelques mots à semblable question; je fis à Miss Russell un petit cours qu'elle écouta attentivement. Je la soupçonnai de chercher, sous cette forme, des renseignements au sujet de la mort de Mme Ferrars.

« Le véronal, par exemple... », continuai-je. Mais elle ne parut pas s'intéresser au véronal. Elle changea même de sujet et me demanda s'il était exact que certains poisons trompassent les recherches.

« Ah ! répondis-je, vous avez lu des histoires de détectives ! »

Elle avoua en avoir lu.

« Dans toute histoire de détective, dis-je, il y a généralement un poison rare, qui vient, si possible, de l'Amérique du Sud et dont personne n'a jamais entendu parler. La mort est instantanée et la science est impuissante à comprendre.

— Existe-t-il vraiment des poisons de cette sorte ? »

Je secouai la tête...

« Je crois que non, sauf le curare. »

Je lui parlai longuement du curare, mais son intérêt parut s'éteindre de nouveau. Elle me demanda si j'en avais et je crains d'avoir perdu dans son estime lorsque je lui eus répondu négativement. Elle partit et je l'accompagnai jusqu'à la porte, juste au moment où le gong annonçant le déjeuner retentissait.

Je n'aurais jamais cru Miss Russell capable de s'intéresser à des histoires de détectives.

Je l'évoquai, avec amusement, sortant de sa chambre pour tancer une servante indocile, puis y retournant vivement pour se plonger dans *Le Mystère de la septième mort,* ou toute autre œuvre de ce genre !

CHAPITRE III

L'HOMME QUI CULTIVAIT DES CITROUILLES

PENDANT le déjeuner, j'annonçai à Caroline que je dînais à Fernly. Elle ne fit aucune objection... au contraire...

« Parfait, dit-elle, tu apprendras tout. A ce propos, que s'est-il passé pour Ralph ?

— Pour Ralph ? dis-je étonné. Rien que je sache.

— Alors pourquoi est-il descendu aux « Trois Dindons » au lieu d'aller à Fernly Park ? »

Je ne mis pas un instant en doute l'allégation de Caroline; du moment qu'elle affirmait que Ralph Paton se trouvait à l'auberge du village, le fait était certainement exact.

« Mais Ackroyd m'a dit qu'il était à Londres ! »

L'étonnement me fit oublier mon habitude de ne jamais donner de renseignement.

« Oh ! fit Caroline, dont le nez frémit, il est arrivé hier matin aux « Trois Dindons » et il y est encore. Hier soir il s'est promené avec une jeune fille. »

Ceci ne me surprit nullement, car Ralph se promène, à peu près tous les jours, avec une jeune fille. Mais pourquoi avait-il choisi King's Abbot pour se livrer à ce passe-temps, au lieu de demeurer dans la grande ville ?

« Une des servantes ? demandai-je.

— Non, et je ne sais pas qui c'était ! »

Il devait être bien douloureux à Caroline de faire semblable aveu.

« Mais je puis deviner », continua mon infatigable sœur.

J'attendis patiemment.

« C'était sa cousine.

— Flora Ackroyd ? » m'écriai-je, stupéfait.

Flora et Ralph n'ont, en réalité, aucun lien de parenté; cependant ce dernier a été considéré depuis si longtemps comme le fils d'Ackroyd qu'il est devenu courant d'admettre ce cousinage.

« Flora Ackroyd, répéta ma sœur.

— Mais s'il désirait la voir, pourquoi n'est-il pas allé à Fernly ?

— Parce qu'ils se sont fiancés en secret, dit Caroline, ravie. Ackroyd ne veut pas entendre parler de ce mariage et ils sont obligés de se voir en cachette. »

L'hypothèse émise par Caroline me paraissait présenter plusieurs points faibles, mais je m'abstins de les souligner. Une remarque faite au sujet de notre nouveau voisin créa une diversion.

La maison la plus proche de la nôtre, « Les Mélèzes », avait été récemment louée à un étranger.

A son grand chagrin, Caroline n'avait rien pu découvrir le concernant, sauf qu'il n'était pas Anglais. Son bureau d'informations ne s'était pas montré à la hauteur des circonstances. Il est probable que cet inconnu achète du lait, de la viande et du poisson, comme tout le monde, mais aucun de ceux qui lui fournissent ces aliments, ne paraît avoir obtenu le moindre renseignement. Son nom semble être Porrott, nom étrange. La seule chose certaine, c'est qu'il cultive des citrouilles.

Mais cela n'intéresse pas Caroline. Ce qu'elle aurait voulu savoir, c'est d'où il venait, quelle était sa profession, s'il était marié, comment était sa femme, s'il avait des enfants, le nom de jeune fille de sa mère, etc.

C'est une personne de la mentalité de Caroline qui a dû inventer le questionnaire des passeports.

« Ma chère Caroline, dis-je, il n'y a aucun doute, quant à sa profession. C'est un coiffeur retiré des affaires. Regarde sa moustache. »

Mais Caroline ne fut pas de mon avis. Elle déclara que, si notre voisin avait été coiffeur, ses cheveux seraient ondulés au lieu d'être plats. Je lui citai plusieurs coiffeurs de ma connaissance dont les cheveux étaient absolument plats, mais elle refusa de se laisser convaincre.

« Je ne puis me faire une opinion, dit-elle d'un ton vexé. Je lui ai emprunté un outil de jardinage, l'autre jour; il a été fort poli, mais je n'ai rien pu en tirer. Je lui ai demandé carrément s'il était Français; il m'a répondu que non... et, je ne sais pourquoi, je n'ai pas osé insister. »

Je commençai à m'intéresser à notre mystérieux voisin, car un homme qui se montre capable de faire taire Caroline doit avoir une forte personnalité.

« Je crois, dit ma sœur, qu'il possède un de ces nouveaux aspirateurs à poussière... »

J'entrevis son intention de se le faire prêter et d'entrer ainsi, encore une fois, en conversation. La laissant à cet espoir, je m'enfuis dans le jardin. J'aime assez cultiver les fleurs et j'étais fort occupé à extraire des mauvaises herbes, lorsqu'un cri d'appel se fit entendre près de moi, en même temps qu'un corps lourd me frôlait l'oreille et tombait à mes pieds. C'était une citrouille.

Je levai la tête, fort en colère. A ma gauche, au-dessus du mur, un visage apparaissait; je distinguai, d'un coup d'œil, une tête en forme de poire, recouverte en partie de cheveux d'un noir excessif, une énorme moustache et des yeux inquisiteurs.

C'était notre énigmatique voisin, M. Poirot, qui se répandit aussitôt en excuses verbeuses.

« Je vous demande mille fois pardon, monsieur, je suis inexcusable. Je cultive des citrouilles depuis plusieurs mois; puis, soudain, ce matin, elles me font horreur et je les envoie promener, au propre et au figuré. J'ai pris la plus grosse et je l'ai jetée par-dessus le mur ! Monsieur, je suis honteux, confus ! »

Ma fureur ne put que céder à l'expression de ses regrets. En somme, la citrouille ne m'avait pas atteint; mais j'espérai, à part moi, que notre nouvel ami ne prendrait pas l'habitude de nous bombarder avec ses légumes.

L'étrange petit homme parut lire ma pensée.

« Ne vous inquiétez pas ! s'écria-t-il. Telle n'est pas mon habitude. Pouvez-vous, monsieur, vous figurer qu'un homme travaille pour atteindre un but, peine afin de se procurer une retraite, puis, lorsqu'il y est arrivé, s'aperçoive qu'il regrette le labeur et les occupations qu'il s'était cru si heureux d'abandonner ?

— Oui, répondis-je, je crois que c'est assez courant et j'en suis moi-même un exemple. Il y a un an, j'ai fait un héritage qui m'aurait permis de réaliser un rêve; j'ai toujours désiré voyager, voir l'univers. Or, je vous l'ai dit, il y a un an de cela... et je suis encore ici ! »

Mon petit voisin acquiesça.

« Les chaînes de l'habitude. Nous poursuivons longtemps notre tâche dans un dessein déterminé, puis, lorsque celui-ci est réalisé, l'effort quotidien nous manque. Croyez bien, monsieur, que mon travail était intéressant. C'était le travail le plus intéressant de la terre.

— Vraiment, dis-je d'une voix encourageante, car j'avais, à ce moment, la mentalité de Caroline.

— Oui, j'étudiais la nature humaine, monsieur !

— Certainement », dis-je avec bonté.

J'étais véritablement en présence d'un coiffeur retraité. Qui est-ce qui, mieux qu'un coiffeur, connaît les secrets de la nature humaine ?

« J'avais aussi un ami... un ami qui ne m'a jamais quitté pendant plusieurs années. Il se montrait parfois d'une bêtise effrayante et, pourtant, il m'était très cher. Imaginez-vous que sa bêtise elle-même me fait infiniment défaut. Sa naïveté, ses idées honnêtes, le plaisir que j'éprouvais à l'éblouir par mes dons supérieurs... tout cela me manque plus que je ne puis vous dire.

— Il est mort ? demandai-je avec sympathie.

— Non, non il vit et prospère... mais de l'autre côté du globe, car il habite l'Argentine.

— L'Argentine ! » dis-je avec envie.

J'ai toujours désiré aller dans l'Amérique du Sud. Je soupirai, puis, lorsque je levai les yeux, je m'aperçus que M. Poirot me contemplait avec intérêt. Ce petit homme me parut doué de compréhension.

« Irez-vous là-bas ? » demanda-t-il.

Je secouai la tête avec tristesse.

« J'aurais pu y aller, il y a un an, mais j'ai été insensé, plus qu'insensé, vorace; et j'ai lâché la proie pour l'ombre.

— Je comprends, reprit Poirot; vous avez spéculé ? »

J'acquiesçai d'un air sombre, mais je m'amusai beaucoup intérieurement. Ce petit homme était si extraordinairement solennel !

« Avez-vous joué sur les Porcupine Oil Fields ? » demanda-t-il brusquement.

Je le regardai avec stupeur.

« J'y avais songé, mais je me suis décidé pour une mine d'or dans l'ouest de l'Australie. »

Mon voisin me contemplait avec une expression bizarre que je ne pus déchiffrer.

« C'est le Destin, dit-il enfin.

— Qu'est-ce que vous appelez le Destin ? demandai-je avec un peu d'irritation.

— Le fait que je sois devenu le voisin d'un homme que préoccupent les « Porcupine Oil Fields » et aussi les mines d'or de l'ouest de l'Australie. Dites-moi, avez-vous également un penchant pour les cheveux châtains ? »

Je le regardai, les yeux écarquillés, et il éclata de rire.

« Non, non, je ne suis pas fou, rassurez-vous.

La question que je viens de vous poser était ridicule : l'ami dont je vous parlais était un jeune homme qui trouvait toutes les femmes bonnes, presque toutes belles, tandis que vous êtes un homme d'âge mûr, un médecin qui connaît l'inanité de la plupart des choses de notre vie. En tout cas, nous sommes voisins; je vous prie de vouloir bien accepter et offrir à votre aimable sœur ma plus belle citrouille. » Il se baissa et reparut triomphalement en tenant une énorme citrouille que j'acceptai aussi simplement qu'il me l'offrait.

Le petit homme reprit gaiement :

« Cette matinée est loin d'avoir été perdue pour moi. J'ai fait votre connaissance et, par certains côtés, vous ressemblez à mon ami lointain... A propos, je voudrais vous demander un renseignement : vous connaissez certainement tout le monde dans ce petit village. Qui est le beau jeune homme brun qui marche la tête rejetée en arrière, avec un sourire heureux sur les lèvres ? »

Cette description ne me laissait aucun doute.

« Ce doit être le capitaine Ralph Paton, répondis-je lentement.

— Je ne l'avais pas encore rencontré.

— Il n'est pas venu depuis assez longtemps. C'est le fils, ou plutôt le fils adoptif de M. Ackroyd, de Fernly Park. »

Mon voisin fit un petit mouvement d'impatience.

« J'aurais dû le deviner. Il m'a souvent parlé de lui.

— Vous connaissez M. Ackroyd ? demandai-je, un peu étonné.

— Oui, il a été en rapport avec moi, lorsque

j'exerçais ma profession à Londres, mais je l'ai prié de n'en rien dire ici.

— Je comprends », répliquai-je assez amusé.

Il reprit avec emphase :

« Je préfère garder l'incognito; je n'ai aucun désir de notoriété et je n'ai même pas pris la peine de rectifier le nom sous lequel on m'appelle ici.

— Vraiment ! dis-je, ne sachant trop que répondre.

— Le capitaine Ralph Paton... murmura M. Poirot, il est fiancé à la nièce de M. Ackroyd, la charmante Miss Flora.

— Qui vous l'a dit ? demandai-je fort surpris.

— M. Ackroyd lui-même, il y a huit jours environ. Il en est très content, car d'après ce que j'ai pu comprendre, il désirait depuis longtemps qu'il en fût ainsi. Je crois même qu'il a exercé une certaine pression sur son futur beau-fils, ce qui est regrettable. Un jeune homme doit se marier selon ses goûts et non pour plaire à un beau-père dont il escompte l'héritage. »

Mes idées étaient complètement bouleversées. Je n'aurais jamais imaginé qu'Ackroyd pût se confier à un ancien coiffeur et discuter avec lui les fiançailles de sa nièce et de son beau-fils, car, s'il est très bienveillant envers les classes inférieures, il n'en a pas moins une grande réserve personnelle. Je commençai à me demander si Poirot était bien un coiffeur !

Pour cacher mon embarras, je prononçai les premières paroles qui me vinrent à l'esprit :

« Pourquoi avez-vous remarqué Ralph Paton ? Parce qu'il est beau ?

— Pas seulement à cause de cela, encore qu'il ait

un physique particulièrement agréable pour un Anglais; en style de roman, il serait qualifié de dieu grec. Non, il y avait, dans l'attitude du jeune homme, quelque chose que je ne comprenais pas. »

Il prononça cette dernière phrase d'un ton grave qui me produisit une impression étrange; il semblait qu'il fût en mesure de juger Ralph en faisant appel à une science inconnue de moi. Je le quittai sur ce sentiment, car, à ce moment, ma sœur m'appela.

Je regagnai la maison. Caroline avait encore son chapeau sur la tête et arrivait manifestement du village. Elle commença sans préambule :

« J'ai rencontré M. Ackroyd.

— Vraiment ?

— Bien entendu, j'ai voulu l'arrêter, mais il semblait très pressé. »

Cela ne me surprit pas. Il avait dû éprouver, à l'égard de Caroline, la même impression que celle qu'il avait ressentie pour Miss Ganett, au début de la journée, mais plus accusée sans doute, car il est moins facile de se débarrasser de ma sœur.

« Je lui ai tout de suite parlé de Ralph et il s'est montré fort surpris; il ne savait pas que l'enfant était ici. Il m'a même dit que je devais faire erreur. Moi ! faire erreur !

— C'était ridicule, répondis-je, il devrait mieux te connaître.

— Puis il m'a annoncé les fiançailles de Ralph et de Flora.

— Je les ai apprises aussi, interrompis-je avec fierté.

— Qui t'en a parlé ?

— Notre nouveau voisin. »

Caroline hésita pendant une ou deux secondes, mais elle dédaigna l'appât que je lui tendais ainsi.

« J'ai prévenu M. Ackroyd que Ralph est descendu aux « Trois Dindons ».

— Caroline, ne te rends-tu pas compte que tu peux faire beaucoup de mal avec ta manie de parler sans discernement ?

— Allons donc ! répondit ma sœur. Il est utile d'avertir les intéressés. M. Ackroyd m'a été très reconnaissant. Je crois même qu'il s'est rendu tout droit aux « Trois Dindons »; mais il n'y aura pas trouvé Ralph.

— Pourquoi ?

— Parce que, tandis que je rentrais en traversant les bois...

— Tu es rentrée par la forêt ? » m'écriai-je.

Caroline rougit.

« Il faisait si beau que j'ai voulu faire une promenade. Les tons d'automne sont si merveilleux, à cette époque de l'année. »

Or, Caroline ne s'intéresse aux bois en aucune saison; elle considère d'ordinaire que l'on s'y mouille les pieds et que l'on reçoit toute espèce de choses désagréables sur la tête. C'était l'instinct de la mangouste qui l'avait entraînée vers la forêt, seul endroit où, à King's Abbot, un jeune homme puisse causer avec une jeune fille sans être vu. De plus, elle touche au parc de Fernly.

« Eh bien ! dis-je, continue.

— Je traversais donc le bois, lorsque j'entendis des voix »

Caroline s'arrêta.

« Alors ?

— L'une était la voix de Ralph Paton, que je

reconnus tout de suite; l'autre était celle d'une jeune fille. Naturellement, je n'avais pas l'intention d'écouter...

— Certainement, m'écriai-je avec une ironie que Caroline ne remarqua pas.

— Mais je ne pus m'empêcher d'entendre. La jeune fille prononça des paroles que je ne compris pas bien et Ralph répondit. Il paraissait fort en colère. « Ma chère petite, dit-il, ne vous rendez-vous « pas compte qu'il me coupera les vivres ? Je l'ai « passablement lassé depuis quelques années et il « n'en faudrait plus beaucoup maintenant pour qu'il « agisse ainsi envers moi. Or, nous avons besoin de « ses subsides, ma chère. Lorsqu'il mourra je serai « très riche. Il est aussi ladre que possible, mais il « roule sur l'or et je ne tiens pas à ce qu'il modifie « son testament. Laissez-moi faire et ne vous tour- « mentez pas. » Ce sont exactement ses paroles, je me les rappelle parfaitement. Malheureusement juste à ce moment, je marchai sur une branche morte; ils baissèrent la voix et s'éloignèrent. Je ne pouvais, bien entendu, pas les suivre, de sorte que je ne sais pas qui était la jeune fille.

— C'est fort vexant, dis-je. Je suppose, toutefois, que tu as couru aux « Trois Dindons », que tu t'es sentie souffrante et que tu es entrée dans le bar pour voir si les deux servantes s'y trouvaient.

— Ce n'était pas une servante, dit Caroline sans hésiter. En réalité, je suis presque sûre que c'était Flora Ackroyd : seulement...

— Seulement, alors c'est incompréhensible, avouai-je.

— Mais, si ce n'était pas Flora, qui cela pouvait-il être ? »

Ma sœur passa rapidement en revue toutes les jeunes filles du voisinage et trouva pour ou contre l'hypothèse de la présence de chacune d'entre elles, dans la forêt avec Ralph, de nombreuses raisons.

Lorsqu'elle s'arrêta pour reprendre haleine, je prétextai un client à voir et sortis.

Je me proposais de me rendre aux « Trois Dindons » car il était probable que Ralph Paton y était rentré.

Je connaissais fort bien le jeune homme, mieux peut-être que personne, car j'avais soigné sa mère et je m'expliquais, par conséquent, bien des traits de son caractère, incompréhensibles pour d'autres. Il se trouvait, jusqu'à un certain point, victime de l'hérédité, car, tout en n'ayant pas, comme sa mère, de goût pour la boisson, il était de caractère faible. Ainsi que l'avait dit mon interlocuteur du matin, il était remarquablement beau. Il avait six pieds de haut et son corps, de proportions parfaites, avait une souple grâce athlétique. Il tenait de sa mère ses cheveux noirs et son visage régulier était toujours souriant. Ralph Paton était un de ces êtres nés pour charmer. Il était paresseux et dépensier et ne respectait pas grand-chose, mais, pourtant, il était sympathique et ses amis lui étaient dévoués. Pourrais-je faire quelque chose pour lui ? Je croyais devoir répondre par l'affirmative.

Lorsque je m'informai, aux « Trois Dindons », on me dit que le capitaine Paton venait justement de rentrer. Je montai jusqu'à sa chambre et y pénétrai sans être annoncé. Etant donné ce que j'avais vu et entendu, je me demandais comment je serais reçu; j'avais tort de me tourmenter à ce sujet.

« Mais, c'est Sheppard !... Ravi que ce soit vous ! »

Il vint vers moi, les mains tendues, et un sourire joyeux illumina son visage.

« Vous êtes le seul être que je sois content de voir dans cet endroit maudit ! »

J'ouvris les yeux.

« Que vous a-t-on fait ? »

Il eut un rire amer.

« C'est une longue histoire; les choses ne s'arrangent pas bien pour moi, docteur. Mais, ne voulez-vous pas vous rafraîchir ?

— Si, je veux bien. »

Il sonna, puis, revenant vers moi, se jeta sur un fauteuil.

« Pour appeler les choses par leur nom, dit-il tristement, je suis dans une situation terrible et je ne sais, en réalité, comment en sortir.

— Qu'est-ce qu'il y a ? demandai-je avec sympathie.

— C'est mon damné beau-père.

— Qu'a-t-il fait ?

— Il ne s'agit pas de ce qu'il a fait, mais de ce qu'il fera probablement. »

Un domestique entra et Ralph commanda les rafraîchissements. Il resta silencieux et sombre après que l'homme eut disparu.

« Est-ce sérieux ? » interrogeai-je.

Il fit un signe affirmatif.

« Je suis à bout d'expédients, cette fois », dit-il sobrement.

Le ton de sa voix m'indiqua qu'il disait vrai. Il devait en falloir beaucoup pour rendre Ralph aussi soucieux.

« Si je pouvais vous aider... », commençai-je avec hésitation.

Il secoua la tête avec énergie.

« C'est très gentil à vous, docteur, mais je ne puis vous mêler à cela. Il faut que j'agisse seul. »

Il resta silencieux un instant, puis répéta, avec une inflexion de voix un peu différente :

« Oui, il faut que j'agisse seul. »

CHAPITRE IV

LE DÎNER A FERNLY

La demie de sept heures n'avait pas encore sonné lorsque je frappai à la porte d'entrée de Fernly Park. Elle me fut ouverte aussitôt par le maître d'hôtel, Parker.

La nuit était si belle que j'avais préféré marcher. Je pénétrai dans le grand vestibule carré et Parker me débarrassa de mon pardessus.

A ce même moment, le secrétaire d'Ackroyd, aimable jeune homme, nommé Raymond, traversa le vestibule, se dirigeant vers le cabinet de travail, les mains chargées de documents.

« Bonsoir, docteur. Venez-vous dîner ou bien nous faites-vous une visite médicale ? »

Ces derniers mots s'expliquaient, car je venais de déposer mon sac noir sur un meuble.

Je lui répondis que je m'attendais, d'un instant à l'autre, à être appelé pour un accouchement et que j'avais pris mes précautions en conséquence. Raymond continua son chemin, en me criant :

« Allez dans le salon. Vous connaissez le chemin.

Ces dames vont descendre dans quelques minutes. Je porte ces papiers à M. Ackroyd et je lui dirai que vous êtes là. »

Parker s'était éloigné pendant que je causais avec Raymond, de sorte que je me trouvai seul dans le vestibule.

J'arrangeai ma cravate, jetai un coup d'œil au grand miroir qui se trouvait là et me dirigeai vers la porte du salon.

Comme j'en tournai le bouton, un bruit venant de l'intérieur me frappa. Il me sembla qu'on refermait une fenêtre et ce petit fait s'enregistra machinalement dans mon esprit, sans que j'y apportasse grande attention à ce moment précis.

J'ouvris la porte et entrai; je me heurtai presque à Miss Russell qui sortait. Nous nous excusâmes réciproquement. Je remarquai, pour la première fois, combien la gouvernante avait dû être belle et même l'était encore. Ses cheveux noirs n'avaient pas un fil blanc et lorsque, comme en cet instant, ses joues étaient colorées, son visage perdait un peu de son aspect rigide et froid.

Je me demandai si elle arrivait du jardin, car sa respiration était saccadée, comme celle d'une personne qui a couru.

« Je crains d'être un peu en avance, dis-je.

— Oh ! je ne crois pas, docteur, il est plus de sept heures et demie. »

Elle s'arrêta un instant avant de prononcer ces mots :

« Je... ne savais pas que vous dîniez ici ce soir. M. Ackroyd ne me l'avait pas dit. »

J'eus vaguement l'impression que ma venue ne

lui était pas agréable, mais je ne pus comprendre pourquoi.

« Comment va votre genou ? demandai-je.

— Toujours de même, merci, docteur. Il faut que je m'en aille. Mme Ackroyd va descendre. Je... Je n'étais entrée que pour m'assurer si les fleurs étaient encore fraîches. »

Elle sortit rapidement et je m'avançai dans la pièce en cherchant à m'expliquer son désir évident de justifier sa présence dans le salon. Je m'aperçus alors d'une chose que j'aurais dû me rappeler déjà : de grandes portes-fenêtres donnaient sur la terrasse. Elles étaient ouvertes : le bruit que j'avais entendu n'était donc pas celui d'une fenêtre qu'on referme.

Sans réfléchir et plutôt pour distraire mon esprit de pensées tristes que pour toute autre raison, j'essayai de deviner ce qui avait pu le produire. Du charbon mis sur le feu ? Non, ce n'était pas ce genre de bruit. Un tiroir de bureau repoussé ? Non plus. Mon regard fut attiré alors par ce qu'on appelle « une table d'argent », sorte de vitrine ayant un couvercle à travers lequel on aperçoit les objets qui y sont contenus. Il y avait là un ou deux bibelots en vieil argent, un soulier de bébé ayant appartenu au roi Charles Ier, quelques figurines chinoises en jade et une quantité de curiosités africaines.

Désirant regarder de plus près une des figurines, je soulevai le châssis vitré qui m'échappa et retomba.

Je reconnus immédiatement le bruit que j'avais entendu précédemment; il provenait de ce même couvercle doucement abaissé. Je répétai le mouvement une ou deux fois pour ma propre satisfaction, puis je rabattis complètement le châssis pour examiner l'intérieur de la vitrine et j'étais encore penché sur les objets qui s'y trouvaient lorsque Flora Ackroyd entra dans le salon.

Beaucoup de personnes n'aiment pas Flora Ackroyd, mais aucune ne peut s'empêcher de l'admirer et elle sait être charmante pour ses amis. La première chose qui frappe lorsqu'on la voit, c'est son type de blonde. Elle a des cheveux d'un blond scandinave. Ses yeux sont du bleu des fjords de Norvège et sa peau est blanche et rose. Ses épaules sont larges, ses hanches étroites et l'œil d'un médecin contemple avec plaisir son merveilleux aspect de santé. C'est une vraie jeune fille, simple et droite, chose rare et précieuse.

Flora me rejoignit près de la vitrine et exprima des doutes sur l'authenticité du soulier du roi Charles.

« D'ailleurs, continua-t-elle, il me semble ridicule de s'extasier parce qu'une personne a porté ou employé un objet. La plume avec laquelle George Eliot a écrit *Le Moulin sur la Floss,* par exemple, n'est, après tout, qu'une plume. Si vous admirez Eliot, mieux vaut acheter son livre et le lire.

— Je suppose, Miss Flora, que vous ne lisez rien d'aussi démodé ?

— Vous avez tort, docteur, j'adore *Le Moulin sur la Floss.* »

Je fus charmé de l'apprendre, car les livres que lisent les jeunes filles, de nos jours, m'épouvantent positivement.

« Vous ne m'avez pas encore félicité, docteur, dit Flora. N'avez-vous pas appris ?... »

Elle étendit la main gauche à l'annulaire de laquelle se voyait une belle perle délicieusement montée.

« Je vais épouser Ralph, reprit-elle, mon oncle est très content. »

Je pris ses deux mains dans les miennes et m'écriai :

« Ma chère enfant, j'espère que vous serez heureuse !

— Nous sommes fiancés depuis un mois environ, continua-t-elle, de sa voix calme, mais ce n'est officiel que depuis hier. Mon oncle va faire réparer Cross-Stones, nous le donner et nous serons censés y faire de l'élevage. En réalité, nous chasserons en hiver, nous habiterons en ville pendant la saison et nous ferons du yachting. J'aime beaucoup la mer. Bien entendu, je m'occuperai aussi des œuvres de la paroisse. »

A ce moment, Mme Ackroyd entra, en s'excusant de son retard.

Je regrette d'avoir à avouer que je déteste Mme Ackroyd. Elle est un composé bizarre d'os, de dents et de bijoux. Elle a des yeux bleus d'acier qui, si aimable qu'elle soit, restent toujours froidement calculateurs.

Laissant Flora près de la fenêtre, je m'avançai vers elle; elle me tendit une main abondamment ornée de bagues et commença à me parler avec volubilité.

Avais-je appris les fiançailles de Flora ? N'était-ce pas un couple parfaitement assorti, lui si brun, elle si blonde ? Les chers enfants avaient, tous deux, eu le coup de foudre.

« Je ne puis vous dire, docteur, quel soulagement c'est pour mon cœur de mère ! »

Mme Ackroyd soupira, mais ses yeux demeurèrent fixés sur les miens avec intérêt.

« Je me demande une chose... Ce cher Roger a une grande sympathie pour vous et nous savons à quel point il a confiance en vous... Pour moi, en ma qualité de veuve de ce pauvre Cyrille, c'est très délicat... Il y a des questions ennuyeuses à traiter... le contrat... je crois vraiment que Roger compte doter notre chère Flora, mais comme vous le savez, il est un peu... regardant... pour les questions d'argent. J'imagine que ce doit être fréquent chez les hommes qui se trouvent à la tête d'une industrie. Je me demandais donc si vous ne pourriez pas sonder le terrain à ce sujet. Flora a beaucoup d'affection pour vous, et bien que nous ne vous connaissions que depuis deux ans, nous vous considérons comme un vieil ami. »

Le flot d'éloquence de Mme Ackroyd fut interrompu : quelqu'un ouvrait la porte du salon. J'en fus ravi, car je déteste me mêler des affaires d'autrui et je n'avais pas la moindre intention d'entreprendre Ackroyd au sujet du contrat de Flora. Un instant plus tard, je me serais vu forcé de le dire à Mme Ackroyd.

« Vous connaissez le major Blunt, n'est-ce pas, docteur ?

— Certainement. »

Presque tout le monde connaît Hector Blunt, tout au moins de réputation. Il a tué plus d'animaux sauvages qu'aucun être humain, je crois, et, quand vous prononcez son nom, on vous répond : « Blunt ? Vous voulez parler du chasseur de bêtes fauves ? »

L'amitié qui existe entre lui et Ackroyd m'a toujours étonné, car les deux hommes sont totalement différents. Hector Blunt a environ cinq ans de moins qu'Ackroyd. Ils se sont liés dans leur jeunesse et, bien qu'ils eussent suivi des routes divergentes, leur attachement mutuel a survécu. Une fois tous les deux ans environ, Blunt passe quinze jours à Fernly. Une énorme tête d'animal, muni de cornes aux ramifications sans nombre et qui vous contemple de ses yeux de verre, dès que vous franchissez la porte du vestibule, est un souvenir durable de cette amitié.

Blunt entrait de son pas très particulier, à la fois décidé et assourdi. C'est un homme de taille moyenne, plutôt trapu. Son visage bronzé est toujours sans expression et ses yeux gris semblent fixer sans cesse quelque objet lointain.

Il parle peu, d'une manière saccadée, comme si les mots lui étaient arrachés difficilement.

« Comment vous portez-vous, Sheppard ? » me dit-il de son ton rude; puis il se planta devant la cheminée en regardant par-dessus nos têtes comme s'il contemplait quelque chose de fort intéressant qui se serait passé à Tombouctou.

« Major Blunt, dit Flora, je voudrais vous demander de me donner quelques explications sur ces objets qui viennent d'Afrique; je suis sûre que vous les connaissez tous. »

J'ai entendu dire qu'Hector Blunt est un misogyne; mais je remarquai qu'il rejoignait Flora avec empressement. Tous deux se penchèrent sur la vitrine.

J'eus peur que Mme Ackroyd ne recommençât à m'entretenir du contrat et je fis rapidement diversion en lui parlant d'une nouvelle variété de pois de senteur; j'avais lu, le matin, dans le journal, un article à ce sujet. Mme Ackroyd n'a aucune connaissance en horticulture, mais elle appartient à la catégorie des femmes qui veulent paraître bien informées. Nous pûmes donc causer agréablement jusqu'au moment où Ackroyd et son secrétaire nous rejoignirent.

Tout de suite après, Parker annonça le dîner.

Ma place à table se trouvait entre Mme Ackroyd et Flora. Blunt était de l'autre côté de Mme Ackroyd et Geoffroy Raymond était assis près de lui. Le dîner ne fut pas gai. Ackroyd était visiblement préoccupé; il avait l'air malheureux et ne mangea presque rien. Mme Ackroyd, Raymond et moi fîmes tous les frais de la conversation. Flora paraissait attristée de l'état de son oncle et Blunt se renfermait dans son mutisme habituel. Immédiatement après le dîner, Ackroyd glissa son bras sous le mien et me conduisit vers son cabinet.

« Une fois que nous aurons pris le café, nous ne serons plus dérangés, dit-il. J'ai dit à Raymond de prendre des mesures pour que nous ne soyons pas interrompus. »

Je l'étudiai sans en avoir l'air; il était évidemment sous l'empire d'une grande émotion. Pendant une ou deux minutes, il se promena de long en large, puis, lorsque Parker entra, apportant le café, il se laissa tomber dans un fauteuil, devant le feu.

Le cabinet était une pièce très confortable. Un des côtés était garni de rayons supportant des livres, les chaises étaient recouvertes de cuir bleu et, près de la fenêtre, se trouvait un grand bureau chargé de papiers classés avec soin. Sur une table ronde étaient empilés des revues et des journaux sportifs.

« J'ai encore souffert de l'estomac après le repas,

dit Ackroyd, tout en versant le café. Il faudra que vous me donniez quelques-uns de vos cachets. »

Je compris qu'il voulait laisser croire au maître d'hôtel que notre entretien roulerait sur des sujets médicaux et je lui donnai la réplique.

« Je l'ai pensé et j'en ai apporté.

— Excellent ami. Donnez-les-moi, je vous prie.

— Ils sont dans mon sac que j'ai posé sur un meuble du vestibule; je vais le chercher. »

Ackroyd m'arrêta.

« Ne vous donnez pas cette peine, Parker va y aller. Voulez-vous apporter le sac du docteur, Parker ?

— Oui, monsieur. »

Parker sortit et je m'apprêtais à parler, lorsque Ackroyd leva la main.

« Pas encore. Attendez. Ne voyez-vous pas que je suis dans un tel état nerveux que je ne puis presque pas me contenir ? »

Certes, je le voyais et j'étais fort inquiet; toutes sortes de pressentiments m'assaillaient.

Ackroyd reprit :

« Voulez-vous regarder si cette fenêtre est bien fermée ? »

Un peu étonné, je me levai et me dirigeai de ce côté. C'était une fenêtre à guillotine dont les lourds rideaux de velours bleu étaient tirés, mais dont la partie supérieure était restée ouverte. Parker rentra dans la pièce avec mon sac pendant que je l'examinais.

« C'est bien, dis-je en reparaissant.

— L'avez-vous fermée ?

— Mais oui. Qu'avez-vous donc, Ackroyd ? »

Parker disparaissait en tirant la porte derrière lui,

sans cela je n'aurais pas posé cette question. Ackroyd laissa passer une seconde avant de répondre.

« Je suis en enfer ! dit-il lentement. Non, laissez ces cachets; je n'en ai parlé qu'à cause de Parker. Les domestiques sont si curieux ! Venez près de moi et asseyez-vous. La porte est fermée aussi, n'est-ce pas ?

— Oui; personne ne peut nous entendre, calmez-vous.

— Sheppard, personne au monde ne se doute de ce que j'ai enduré depuis vingt-quatre heures. Jamais homme n'a vu crouler autour de lui tant de ruines et cette affaire de Ralph est le dernier coup pour moi. Mais nous en parlerons plus tard. C'est l'autre... l'autre... je ne sais que faire et il faut pourtant que je prenne une décision rapide !

— Qu'y a-t-il ? »

Ackroyd se tut encore pendant un instant; il semblait hésiter à parler. Lorsqu'il s'y décida enfin, sa question me surprit complètement, car elle était de celles auxquelles je m'attendais le moins.

« Sheppard, vous avez soigné Ashley Ferrars pendant sa dernière maladie, n'est-ce pas ?

— En effet. »

Il parut avoir encore plus de difficulté à formuler la question suivante :

« Avez-vous jamais pensé... soupçonné... qu'il ait pu mourir empoisonné ? »

Ce fut à mon tour de demeurer silencieux. Puis, je pris mon parti. Après tout Roger Ackroyd n'était pas Caroline.

« Je vais vous dire la vérité, repris-je. Je n'ai eu aucun soupçon à cette époque, mais depuis... en somme ce fut une simple remarque, faite par ma sœur qui en fut cause... depuis j'en ai eu l'idée et je n'ai pu la chasser. Mais, croyez-moi, elle n'est basée sur rien.

— Il a été empoisonné, dit Ackroyd d'une voix sombre.

— Par qui ? demandai-je vivement.

— Par sa femme.

— Comment le savez-vous ?

— Elle me l'a avoué elle-même !

— Quand cela ?

— Hier ! mon Dieu, hier ! Il me semble qu'il y a dix ans ! »

J'attendis un instant et il reprit :

« Comprenez bien, Sheppard, que je vous confie un secret et que cela ne doit pas aller plus loin. J'ai besoin d'avoir votre opinion, car je ne puis, seul, porter ce poids. Ainsi que je vous l'ai dit tout à l'heure, je ne sais que faire.

— Pouvez-vous tout me raconter ? demandai-je. Je ne comprends pas encore bien. Comment Mme Ferrars a-t-elle été amenée à vous faire cet aveu ?

— Voici : il y a trois mois, je lui ai demandé de m'épouser. Elle a refusé. Un peu plus tard, je renouvelai ma demande et, cette fois, elle a accepté en me priant seulement de ne pas annoncer nos fiançailles avant que la première année de son deuil fût révolue. Hier, je suis allé la voir, je lui ai fait remarquer que cette date était dépassée depuis trois semaines et que rien ne nous empêchait plus de rendre notre engagement public. J'avais constaté, depuis plusieurs jours, qu'elle semblait bizarre. Soudain, sans que rien pût le faire prévoir, elle se laissa aller complètement et... me dit tout : sa haine pour la brute qu'était son mari, son amour grandissant pour moi et le... terrible moyen qu'elle avait employé ! Du poison ! Dieu juste ! Ce fut un meurtre commis de sang-froid ! »

Je vis la répulsion, l'horreur qui se peignaient sur le visage d'Ackroyd et Mme Ferrars avait dû les voir aussi. Ackroyd n'est pas le type de l'amoureux fervent qui peut tout pardonner à l'amour. C'est avant tout un bon citoyen. Tout ce qui était sain, conventionnel en lui devait s'être révolté au moment où elle lui avait fait cette révélation.

« Oui, continua-t-il d'une voix basse et morne : elle m'a confessé son crime, mais ce n'est pas tout : il paraît qu'il y a une personne qui sait la vérité... qui a exercé un chantage sur elle et lui a extorqué de grosses sommes. Ce fut ce qui l'affola.

— Qui était-ce ? »

Soudain, la vision de Mme Ferrars causant avec Ralph Paton se dressa devant mes yeux et j'éprouvai un sentiment d'angoisse. Mais c'était impossible. Je me rappelai la franchise de l'accueil de Ralph, ce jour même. L'idée était absurde !

« Elle n'a pas voulu me dire son nom, reprit lentement Ackroyd; en somme, elle n'a pas précisé que ce fût un homme, pourtant...

— Evidemment, acquiesçai-je, ce devait être un homme. N'avez-vous aucun soupçon ? »

Ackroyd gémit et se cacha la figure dans les mains.

« Cela ne peut être, dit-il, c'est fou de seulement y penser. Non, même à vous, je ne veux avouer l'affreuse idée qui m'a traversé l'esprit. Cependant, je puis vous confier ceci : certaine chose, qu'elle m'a dite, m'a fait soupçonner que la personne en question se trouvait chez moi; mais ce n'est pas possible. J'ai dû mal interpréter ses paroles.

— Que lui avez-vous répondu ? demandai-je.

— Que pouvais-je répondre ? Elle vit l'affreux coup que me portait sa révélation. Une autre question se posait pour moi : quel était mon devoir ? Elle m'avait en quelque sorte rendu complice de son acte. Je crois qu'elle comprit tout cela, plus vite encore que je ne le compris moi-même. J'étais anéanti. Elle me demanda de lui accorder vingt-quatre heures et de ne rien faire avant ce laps de temps; mais elle refusa péremptoirement de me dire le nom du misérable qui la faisait chanter. Je suppose qu'elle craignait que je n'allasse tout droit le trouver, ce qui aurait fait tout découvrir. Elle me dit que j'aurais de ses nouvelles avant que les vingt-quatre heures fussent écoulées. Mon Dieu ! Je vous jure, Sheppard, que la pensée qu'elle pourrait se tuer ne traversa même pas mon esprit. Et je l'y ai poussée !

— Non, non, n'exagérez pas les choses. Vous n'êtes pas responsable de sa mort.

— Mais que dois-je faire maintenant ? La pauvre femme n'est plus, pourquoi remuer des cendres ?

— Je ne suis pas de votre avis.

— Cependant, tout n'est pas terminé. Comment puis-je découvrir le bandit qui l'a conduite au tombeau aussi sûrement que s'il l'avait tuée ? Il avait eu connaissance du premier crime et s'est abattu sur sa proie comme un affreux vautour. Elle a expié. Ne doit-il pas expier à son tour ?

— Je vois, dis-je lentement, vous voudriez le rechercher; mais cela fera du bruit.

— Oui, je m'en rends compte et j'hésite.

— Je partage votre sentiment; le misérable devrait être puni, mais il faut envisager les conséquences. »

Ackroyd se leva et se promena de long en large; puis il se rassit.

« Si nous en restions là, Sheppard, à moins que je ne reçoive d'avis contraire.

— Qu'entendez-vous par là ? demandai-je avec curiosité.

— J'ai nettement l'impression qu'elle a dû me laisser une lettre... avant de partir. Je ne puis l'expliquer, mais c'est ainsi. »

Je secouai la tête.

« Je sais qu'elle n'a rien laissé.

— Sheppard, je suis convaincu du contraire. Et, de plus, je crois qu'en se tuant, elle a voulu que tout fût découvert, ne fût-ce que pour se venger de l'homme qui l'a poussée au désespoir. Je pense que si je l'avais revue, elle m'aurait dit son nom et m'aurait demandé de le poursuivre jusqu'à ce qu'il fût châtié. »

Il me regarda :

« Croyez-vous aux pressentiments ?

— Oui, jusqu'à un certain point. Si, comme vous le supposez, vous recevez une lettre d'elle... »

Je m'interrompis. La porte s'ouvrait sans bruit et Parker entra, portant un plateau sur lequel se trouvaient des lettres.

« Le courrier du soir, monsieur », dit-il en le tendant à Ackroyd.

Il prit le plateau du café et se retira. Mon attention, distraite un instant, se reporta sur Ackroyd. Il tenait à la main une grande enveloppe bleue qu'il contemplait comme s'il avait été changé en statue. Il avait laissé tomber les autres lettres sur le tapis.

« Son écriture, dit-il à voix basse. Elle a dû sortir

et mettre ceci à la poste, juste avant... avant... »

Il déchira l'enveloppe et en retira un papier épais. Puis il leva la tête vivement.

« Etes-vous sûr d'avoir fermé la fenêtre ? dit-il.

— Tout à fait sûr, répondis-je étonné, pourquoi ?

— Pendant toute la soirée, j'ai eu la sensation d'être surveillé, épié... Qu'est-ce que cela ? »

Nous nous retournâmes tous deux, ayant cru entendre le bouton de la porte. Je me dirigeai vers elle et l'ouvris. Il n'y avait personne au-dehors.

« Nervosité », murmura Ackroyd, se parlant à lui-même.

Il déplia les épaisses feuilles de papier et lut à haute voix :

« Mon cher, mon très cher Roger,

« Une vie réclame une autre vie. Je comprends cela et je l'ai lu sur votre figure cet après-midi. Aussi, je vais prendre la seule route qui me soit ouverte. Je vous laisse le soin de punir la personne qui, depuis un an, a fait de mon existence un enfer. Je n'ai pas voulu vous dire son nom aujourd'hui, mais je me propose de vous l'écrire maintenant. Je n'ai ni enfants, ni proches parents à ménager, donc ne craignez pas de rendre la chose publique. Si vous le pouvez, Roger, mon Roger, pardonnez-moi le préjudice que j'allais vous causer puisque, le moment venu, je n'en ai pas eu le courage. »

Ackroyd s'interrompit au moment de tourner la page.

« Pardonnez-moi, Sheppard, je ne dois continuer cette lettre que lorsque je serai seul, dit-il d'une voix tremblante. Ces pages n'ont été écrites que pour moi. »

Il remit la lettre dans l'enveloppe et la posa sur la table.

« Plus tard, répéta-t-il, lorsque je serai seul.

— Non, m'écriai-je vivement, lisez-la maintenant. »

Il me regarda avec surprise.

« Pardon, dis-je en rougissant, je ne vous demande pas de me dévoiler ce que contient cette lettre, mais prenez-en connaissance pendant que je suis ici. »

Ackroyd secoua la tête.

« Non, je préfère attendre. »

Mais, pour une raison que je ne démêlais pas moi-même, je continuai à le supplier :

« Lisez au moins le nom de l'homme. »

Ackroyd était fort entêté; plus on le poussait à accomplir un acte plus il s'y refusait. Tous mes arguments demeurèrent inutiles. La lettre lui avait été apportée à neuf heures moins vingt. Il était juste neuf heures moins dix lorsque je le quittai, sans qu'il eût achevé de la lire.

La main sur la poignée de la porte, j'hésitai et regardai en arrière, me demandant si je n'avais rien oublié. Je ne vis rien, je sortis en hochant la tête et je fermai la porte derrière moi.

Je fus quelque peu surpris en apercevant Parker. Celui-ci parut embarrassé et je pensai qu'il avait dû écouter derrière le battant. L'homme avait un visage mielleux et un regard faux.

« M. Ackroyd désire vivement n'être pas dérangé, dis-je froidement. Il m'a prié de vous avertir.

— Bien, monsieur. Je... je croyais avoir entendu sonner. »

C'était si manifestement inexact que je ne pris même pas la peine de répondre. Parker me précéda dans le vestibule, m'aida à endosser mon pardessus et je sortis.

La lune était voilée; tout semblait très sombre et très silencieux. L'horloge du village sonna neuf heures tandis que je franchissais la grille du parc. Je tournai vers la gauche dans la direction du village et me heurtai presque à un homme qui venait en sens inverse.

« Est-ce bien le chemin de Fernly Park, monsieur ? » me demanda-t-il d'une voix enrouée.

Je le regardai. Son chapeau était rabattu sur ses yeux et le col de son pardessus était relevé. J'apercevais à peine son visage, mais il me parut jeune. Sa voix était vulgaire.

« Voici la porte de la propriété, dis-je.

— Merci, monsieur. » Il s'arrêta et ajouta sans nécessité : « Je suis étranger à ce pays. »

Puis il pénétra dans le parc et je le suivis des yeux. Sa voix me rappelait une voix connue, mais je n'aurais pu dire laquelle.

Dix minutes plus tard, j'étais de retour. Caroline était très curieuse de savoir pourquoi je revenais de si bonne heure. Je dus lui faire un récit quelque peu fantaisiste des événements de la soirée et j'eus l'impression désagréable qu'elle me perçait à jour.

A dix heures, je me levai, je bâillai et je déclarai que j'allais me coucher.

C'était un vendredi et je remonte habituellement les pendules ce soir-là. Je m'acquittai de ce soin comme d'habitude, pendant que Caroline s'assurait que les domestiques avaient bien fermé la cuisine.

Il était dix heures et quart quand nous montâmes l'escalier. J'arrivais à l'étage lorsque la sonnerie du téléphone retentit dans le vestibule.

« C'est probablement pour Mme Bates, dit Caroline.

— Je le crains », répondis-je d'un ton maussade.

Je descendis en courant et pris le récepteur.

« Quoi ?... dis-je. Comment ?... Certainement, je viens tout de suite. »

Je remontai en courant, saisis mon sac et y mis quelques pansements supplémentaires.

« Parker téléphone de Fernly, criai-je à Caroline, on vient de trouver Roger Ackroyd assassiné ! »

CHAPITRE V

L'ASSASSINAT

JE SORTIS rapidement ma voiture du garage et partis pour Fernly. Je sonnai avec impatience et, comme la réponse se faisait attendre, je sonnai une seconde fois. J'entendis un bruit de chaînes et Parker, dont la figure impassible ne donnait aucun signe d'émotion, se montra sur le seuil. Je le bousculai et entrai.

« Où est-il ? demandai-je vivement.

— Qui donc, monsieur ?

— Votre maître, M. Ackroyd. Ne restez pas là à me regarder ! Avez-vous prévenu la police ?

— La police, monsieur, la police ? reprit Parker en me considérant avec stupeur.

— Qu'avez-vous donc, Parker ? Si, comme vous le dites, votre maître a été assassiné... »

Le maître d'hôtel poussa un cri.

« Mon maître assassiné ! C'est impossible ! »

Ce fut à mon tour de le regarder avec stupéfaction.

« Ne m'avez-vous pas téléphoné, il y a cinq minutes, pour me prévenir que M. Ackroyd avait été trouvé mort ?

— Moi, monsieur ? Certainement non, monsieur ! Pourquoi aurais-je fait une chose pareille ?

— Voulez-vous dire que c'est une mystification et qu'il n'est rien arrivé à M. Ackroyd ?

— Pardon, monsieur, s'est-on servi de mon nom en téléphonant ?

— Je vais vous répéter les mots exacts que j'ai entendus : « Le docteur Sheppard ? — Ici, Parker, le « maître d'hôtel de Fernly. Le docteur veut-il venir « tout de suite ? M. Ackroyd a été assassiné ! »

Parker et moi nous nous regardâmes en silence.

« C'est une triste plaisanterie, monsieur, dit-il enfin d'un ton scandalisé, comment a-t-on pu parler ainsi ?

— Où est M. Ackroyd ? demandai-je brusquement.

— Toujours dans son cabinet, je pense, monsieur; ces dames se sont retirées; le major Blunt et M. Raymond sont dans la salle de billard.

— Je vais entrer pour le voir un instant, dis-je; je sais bien qu'il ne veut pas être dérangé, mais ce coup de téléphone m'a inquiété et je veux m'assurer qu'il se porte bien.

— Certainement, monsieur, moi-même je ne suis pas tranquille, et si monsieur veut me permettre de l'accompagner jusqu'à la porte...

— Sans aucun doute, venez. »

Suivi de Parker, je franchis une porte, traversai un petit vestibule d'où partait l'escalier qui conduisait à la chambre à coucher d'Ackroyd et frappai à son cabinet de travail.

Personne ne répondit; je tournai la poignée, mais la porte était fermée.

« Que monsieur me permette... », dit Parker.

Avec beaucoup d'agilité chez un homme de sa corpulence, il se laissa tomber sur un genou et appliqua son œil au trou de la serrure.

« La clef est sur la porte, à l'intérieur, monsieur, dit-il en se relevant. M. Ackroyd a dû s'enfermer, puis sans doute s'endormir. »

Je me baissai et vérifiai l'affirmation de Parker.

« Tout paraît normal, mais cependant, Parker, je vais éveiller votre maître, car je ne serai rassuré que si je l'entends me dire lui-même qu'il se porte bien. »

Ce disant, je secouai la poignée en criant : « Ackroyd, Ackroyd, veuillez m'écouter. »

Toujours pas de réponse. Je regardai par-dessus mon épaule et dis en hésitant :

« Je ne veux pas semer l'alarme dans la maison. »

Parker longea le vestibule et alla fermer la porte qui séparait celui-ci du grand hall que nous venions de quitter.

« Je crois qu'on n'entendra rien, monsieur. La salle de billard est de l'autre côté de la maison, ainsi que les chambres de ces dames et les cuisines. »

Je fis un signe affirmatif, puis je heurtai violemment la porte et, me baissant, je hurlai littéralement à travers la serrure :

« Ackroyd, Ackroyd ! C'est Sheppard. Laissez-moi entrer. »

Toujours même silence. Aucun signe de vie ne se manifesta dans la pièce fermée. Parker et moi échangeâmes un regard.

« Je vais — ou plutôt nous allons — enfoncer cette porte, dis-je, j'en prends la responsabilité.

— Si monsieur croit... commença le maître d'hôtel, d'un ton dubitatif.

— Certainement, interrompis-je, car, maintenant, je suis tout à fait inquiet au sujet de M. Ackroyd. »

Je regardai autour de moi et saisis une lourde chaise de chêne. Aidé de Parker, nous en frappâmes la serrure. Celle-ci céda au troisième coup et nous nous précipitâmes dans la pièce. Ackroyd était assis où je l'avais laissé, dans un fauteuil, près du feu. Sa tête s'inclinait sur le côté, et, juste au-dessous du col de son vêtement on apercevait un objet métallique brillant.

Le maître d'hôtel et moi avançâmes et nous penchâmes sur le corps affaissé.

Parker poussa un gémissement et murmura :

« Il a été frappé par-derrière. C'est horrible ! »

Il essuya son front moite à l'aide de son mouchoir, puis étendit le bras vers le poignard.

« Il ne faut pas toucher à cela, dis-je vivement. Allez vite au téléphone et prévenez la police. Puis, appelez M. Raymond et le major Blunt.

— Bien, monsieur. »

Parker sortit en hâte, toujours en s'essuyant le front, et je fis le peu qu'il y avait à faire. J'eus soin de ne pas déplacer le corps et de ne pas porter la main sur le poignard. Cela n'eût servi à rien car il était évident qu'Ackroyd était déjà mort depuis quelque temps. Puis j'entendis la voix angoissée, mais incrédule, du jeune Raymond s'écrier :

« Que dites-vous ? C'est impossible ! Où est le docteur ? »

Il apparut sur le seuil, puis s'arrêta brusquement, très pâle. Une main l'écarta et Hector Blunt entra.

« Mon Dieu ! dit Raymond, c'est donc vrai ! »

Blunt vint tout droit vers le corps sur lequel il se pencha.

Je crus que, comme Parker, il allait essayer de tirer l'arme ! Je lui saisis le bras et l'éloignai.

« Il ne faut rien déranger, expliquai-je, car la police doit trouver le corps dans la même position. »

Blunt acquiesça immédiatement. Son visage était aussi immobile que jamais, mais je crus y discerner une émotion. Geoffroy Raymond nous avait rejoints maintenant et regardait le cadavre par-dessus l'épaule de Blunt.

« C'est terrible », dit-il à voix basse.

Il avait repris son sang-froid, mais, tandis qu'il ôtait, pour l'essuyer, le lorgnon qu'il portait habituellement, je remarquai que sa main tremblait.

« Le vol a été le mobile du crime, je suppose, dit-il. Comment l'assassin est-il entré ? Par la fenêtre ? A-t-on dérobé quelque chose ? »

Tout en parlant, il se dirigea vers le bureau.

« Vous croyez qu'il s'agit de vol ? dis-je lentement.

— Comment pareille chose pourrait-elle s'expliquer autrement ? Je pense qu'il n'est pas question de suicide ?

— Aucun homme ne pourrait se frapper lui-même ainsi, dis-je avec calme. C'est bien un meurtre; mais pourquoi a-t-il été commis ?

— Roger n'avait pas un ennemi au monde, déclara Blunt avec calme. Ce ne peut être que l'œuvre de cambrioleurs. Mais qu'a-t-on volé ? Rien ne semble avoir été dérangé. »

Il regarda autour de lui. Raymond classait toujours les papiers qui se trouvaient sur le bureau.

« Rien ne paraît manquer et aucun des tiroirs n'a été fracturé, dit enfin le secrétaire. C'est fort mystérieux. »

Blunt fit un léger signe de tête.

« Il y a des lettres par terre », dit-il.

Je regardai. Trois ou quatre plis se trouvaient encore là où Ackroyd les avait laissés tomber au début de la soirée.

Toutefois, l'enveloppe bleue contenant la lettre de Mme Ferrars avait disparu. J'ouvris la bouche pour parler, mais au même instant le bruit d'une sonnerie retentit. Un murmure confus de voix se fit entendre dans le hall et Parker entra suivi de l'inspecteur de la police locale et d'un constable.

« Bonsoir, messieurs, dit l'inspecteur. Je suis désolé. Un homme aussi bon que M. Ackroyd ! Le maître d'hôtel dit qu'il s'agit d'un meurtre. N'y a-t-il pas possibilité d'accident ou de suicide, docteur ?

— Aucune ! répondis-je.

— Ah ! mauvaise affaire ! »

Il s'approcha du corps et demanda en le désignant :

« A-t-il été touché ?

— Je ne l'ai pas remué et n'ai fait que constater la mort, ce qui m'a été facile.

— Ah ! tout porte à croire que le meurtrier s'est échappé... du moins pour le moment. Maintenant racontez-moi tout. Qui a découvert le cadavre ? »

Je lui expliquai les faits avec soin.

« Vous avez reçu une communication téléphonique, dites-vous ? Du maître d'hôtel ?

— Je n'ai pas téléphoné, déclara Parker vivement; je ne me suis pas approché du téléphone pendant toute la soirée; les autres domestiques pourront en témoigner.

— C'est très étrange. La voix que vous avez entendue ressemblait-elle à celle de Parker, docteur ?

— Je ne puis vous l'affirmer, je l'ai cru.

— Naturellement. Bref, vous êtes arrivé ici, vous avez enfoncé la porte et vous avez trouvé le pauvre M. Ackroyd dans cette position. Depuis combien de temps croyez-vous qu'il est mort, docteur ?

— Une demi-heure au moins, peut-être plus longtemps, dis-je.

— La porte était fermée à l'intérieur, m'avez-vous déclaré... et la fenêtre ?

— Je l'avais fermée moi-même au début de la soirée, sur la demande de M. Ackroyd. »

L'inspecteur se dirigea de ce côté et tira les rideaux.

« En tout cas, elle est ouverte maintenant », déclara-t-il.

En effet la fenêtre était ouverte. L'inspecteur prit une lampe de poche et en éclaira l'appui.

« Voici le chemin par lequel le meurtrier est sorti, s'écria-t-il, et aussi entré. Regardez ! »

A la lueur de la lampe, plusieurs empreintes de pas se distinguaient. Elles paraissaient avoir été faites par des souliers dont les semelles étaient munies de talonnettes en caoutchouc. Une de ces empreintes, particulièrement nette, avait la pointe en dedans, l'autre, qui recouvrait en partie la première, avait la pointe en dehors.

« C'est clair comme de l'eau de roche, dit l'inspecteur. Manque-t-il des objets de valeur ? »

Geoffroy Raymond secoua la tête négativement.

« Je ne constate rien. M. Ackroyd ne gardait jamais rien de précieux dans cette pièce.

— Hum ! dit l'inspecteur, l'homme a trouvé une fenêtre ouverte, il l'a escaladée, a vu M. Ackroyd assis à cette place où, sans doute, il s'était endormi, il l'a frappé par-derrière, puis il a perdu la tête et s'est enfui en laissant des traces assez nettes. Nous devons pouvoir nous emparer de lui sans grande difficulté. Est-ce qu'aucun étranger suspect n'a été vu dans les environs ?

— Oh ! fis-je brusquement.

— Qu'y a-t-il, docteur ?

— J'ai rencontré un homme, ce soir, juste comme je sortais de la propriété. Il m'a demandé le chemin de Fernly Park.

— Quelle heure était-il ?

— Neuf heures exactement; j'ai entendu sonner l'heure au moment où je franchissais la grille.

— Quel genre d'homme était-ce ? »

Je le décrivis de mon mieux. L'inspecteur se tourna vers le maître d'hôtel.

« Est-ce qu'une personne répondant à ce signalement s'est présentée à la porte d'entrée ?

— Non, monsieur, personne n'est venu ce soir.

— Et à la porte de service ?

— Je ne crois pas, monsieur; je vais m'informer. »

Il fit un pas vers la porte, mais l'inspecteur leva la main.

« Non, merci. Je ferai mon enquête moi-même; mais d'abord je veux fixer un peu plus nettement le détail de l'heure. Quand M. Ackroyd a-t-il été vu vivant pour la dernière fois ?

— Probablement par moi, dis-je, lorsque je le quittai à... voyons... environ neuf heures moins dix. Il m'a dit qu'il ne voulait pas être dérangé et j'ai répété ses ordres à Parker.

— En effet, répondit respectueusement celui-ci.

— M. Ackroyd était certainement encore vivant

à neuf heures et demie, interrompit Raymond, car je l'ai entendu parler.

— A qui parlait-il ?

— Je l'ignore. J'ai cru à ce moment-là, qu'il était encore avec le docteur Sheppard. Je voulais lui poser une question au sujet d'un travail dont il m'avait chargé, mais lorsque j'ai entendu des voix, je me suis souvenu qu'il avait déclaré vouloir demeurer seul avec le docteur et je me suis retiré. Cependant il semblerait que le docteur était déjà parti.

— J'étais rentré à neuf heures et quart, déclarai-je, et je ne suis ressorti qu'après la communication téléphonique.

— Qui paraissait être avec lui à neuf heures et demie ? demanda l'inspecteur. Ce n'était pas vous, monsieur... ?

— Major Blunt, présentai-je.

— Major Hector Blunt ? » demanda l'inspecteur, dont la voix prit une expression de déférence.

Blunt se contenta de faire un signe affirmatif.

« Je crois que nous nous sommes déjà vus ici, monsieur, reprit l'inspecteur. Je ne vous ai pas reconnu tout de suite, mais n'avez-vous pas fait un séjour chez M. Ackroyd, l'année dernière, au mois de mai.

— Juin, corrigea Blunt.

— En effet, c'était en juin. Ainsi que je vous le demandais tout à l'heure, vous trouviez-vous à neuf heures et demie avec M. Ackroyd ? »

Blunt secoua la tête.

« Je ne l'ai pas vu depuis le dîner », déclara-t-il.

L'inspecteur se tourna de nouveau vers Raymond.

« Avez-vous entendu la conversation ?

— J'en ai saisi des bribes, déclara le secrétaire et, croyant que M. Ackroyd était avec le docteur Sheppard, je l'ai trouvée bizarre. Autant que je puisse me souvenir, voici ce que disait M. Ackroyd : « Les « emprunts faits à ma bourse ont été si fréquents « récemment que je crains de ne pouvoir accéder « à votre requête... » Je m'éloignai immédiatement et je n'entendis plus rien... Mais je fus assez surpris, parce que le docteur Sheppard...

— N'emprunte ni pour lui ni pour les autres, achevai-je.

— Une demande d'argent, répéta l'inspecteur d'un air pensif. C'est peut-être là un indice fort important. »

Il se tourna vers le maître d'hôtel.

« Vous dites, Parker, que personne n'a été introduit par vous, ce soir ?

— Oui, monsieur.

— Donc il paraît certain que M. Ackroyd lui-même a ouvert à cet inconnu. Pourtant je ne vois pas... »

Ici, l'inspecteur se plongea dans une profonde méditation.

« Il y a tout au moins une chose acquise, reprit-il au bout d'un instant. M. Ackroyd était bien portant à neuf heures et demie et c'est le dernier moment où l'on soit sûr qu'il ait été encore vivant. »

Parker toussa discrètement, ce qui attira immédiatement sur lui l'attention de l'inspecteur.

« Quoi ? dit celui-ci vivement.

— Veuillez m'excuser, monsieur, Miss Flora a vu son oncle après cette heure-là.

— Miss Flora ?

— Oui, monsieur, vers neuf heures trois quarts

environ. Elle m'a dit ensuite que M. Ackroyd désirait n'être plus dérangé.

— L'avait-il chargée de vous transmettre cet ordre ?

— Pas précisément, monsieur. J'apportais un plateau avec du whisky et du soda, lorsque Miss Flora, qui sortait du cabinet de travail, m'arrêta et me dit que son oncle ne voulait plus qu'on entrât. »

L'inspecteur regarda le maître d'hôtel avec plus d'attention qu'il ne lui en avait accordé jusqu'alors.

« Ne vous avait-on pas déjà dit que M. Ackroyd désirait rester seul ? »

Parker commença à bégayer et ses mains tremblèrent.

« Si, monsieur... si, en effet, monsieur...

— Pourtant, vous vous proposiez d'entrer ?

— J'avais oublié... C'est-à-dire que j'apporte toujours le whisky avec le soda vers cette heure-là, monsieur; enfin je fis comme d'habitude, sans réfléchir. »

Ce fut à ce moment-là que je m'aperçus de l'émoi extraordinaire de Parker. L'homme frissonnait de tous ses membres.

« Hum ! dit l'inspecteur, il faut que je voie Miss Ackroyd immédiatement. Pour le moment, nous allons laisser cette pièce exactement comme elle est. Je reviendrai lorsque j'aurai causé avec Miss Flora et je vais simplement prendre la précaution de fermer la fenêtre. »

Il la ferma en effet, puis se dirigea vers le vestibule où nous le suivîmes. Il s'arrêta un moment pour regarder le petit escalier, puis, se retournant, il dit au constable :

« Jones, il vaut mieux que vous restiez là pour empêcher quelqu'un d'entrer dans cette pièce. »

Parker interrompit avec déférence :

« Veuillez m'excuser, monsieur. Si vous fermez la porte qui conduit au grand hall, personne ne pourra entrer ici, car cet escalier ne conduit qu'à la chambre et à la salle de bain de M. Ackroyd. Il n'y a pas de communication avec l'autre partie de la maison. Il y a eu autrefois une porte; mais M. Ackroyd l'a fait murer, parce qu'il voulait se sentir tout à fait isolé dans son appartement. »

Pour rendre les choses plus claires, je joins à mon récit un plan sommaire de l'aile droite de la maison. Le petit escalier conduit, comme l'expliquait Parker, à une grande chambre attenant à une salle de bain. L'inspecteur explora les lieux d'un regard. Nous pénétrâmes dans le grand hall et il ferma derrière lui la porte dont il mit la clef dans sa poche. Puis il donna à voix basse des instructions au constable et celui-ci s'apprêta à partir.

« Nous nous occuperons tout à l'heure de ces empreintes de pas, expliqua l'inspecteur, il faut d'abord que je cause avec Miss Ackroyd puisqu'elle a été la dernière personne à voir son oncle vivant. A-t-elle appris la nouvelle ? »

Raymond secoua vivement la tête.

« Alors ne la lui apprenez pas encore car elle répondra mieux à mes questions si elle n'est pas bouleversée. Dites-lui qu'il y a eu un cambriolage et demandez-lui si elle veut bien s'habiller et venir répondre à quelques questions. »

Raymond sortit et revint peu d'instants après.

« Miss Ackroyd descend tout de suite, déclara-t-il, je lui ai fait exactement votre commission. »

En moins de cinq minutes, Flora se montra, enveloppée dans un kimono en soie rose pâle. Elle paraissait inquiète. L'inspecteur s'avança vers elle.

« Bonsoir, mademoiselle, dit-il poliment. Nous craignons qu'il n'y ait eu tentative de vol et nous vous demandons de nous aider. Quelle est cette pièce ?... La salle de billard... entrez et asseyez-vous. »

Flora s'assit sur le large divan placé le long du mur et regarda l'inspecteur.

« Je ne comprends pas bien. Qu'est-ce qui a été volé. Que désirez-vous que je vous dise ?

— Simplement ceci, mademoiselle. Parker déclare que vous êtes sortie du cabinet de travail de votre oncle vers dix heures moins un quart. Est-ce vrai ?

— Tout à fait vrai. J'étais allée lui dire bonsoir.

— Est-ce bien là l'heure exacte ?

— Je le crois, mais je ne puis vous l'affirmer; peut-être était-il un peu plus tard.

— Votre oncle était-il seul ?

— Oui, le docteur Sheppard était parti.

— Avez-vous remarqué si la fenêtre était ouverte ou fermée ? »

Flora secoua la tête.

« Je ne pourrais préciser car les rideaux étaient tirés.

— Votre oncle paraissait-il être comme d'habitude ?

— Je crois que oui.

— Pourriez-vous nous dire exactement ce qui s'est passé entre vous ? »

Flora prit un temps, comme pour rassembler ses souvenirs.

« J'entrai et dis : « Bonsoir, mon oncle, je vais « me coucher car je suis fatiguée ce soir. » Il poussa une espèce de grognement; j'allai vers lui et l'embrassai; il me dit que ma robe m'allait bien, puis me pria de me retirer parce qu'il était occupé. Aussi, je partis.

— N'a-t-il pas spécialement insisté sur son désir de ne plus voir personne.

— Ah ! oui j'oubliais ! Il me dit : « Prévenez « Parker que je n'aurai plus besoin de rien ce soir, « et que je désire ne pas être dérangé. » Je rencontrai Parker en sortant et je lui fis la commission de mon oncle.

— Fort bien, répondit l'inspecteur.

— Ne voulez-vous pas me dire ce qui a été volé ?

— Nous ne... savons pas au juste », déclara l'inspecteur en hésitant.

Un regard effrayé passa dans les yeux de la jeune fille qui se leva d'un bond.

« Qu'y a-t-il ? Vous me cachez quelque chose ! »

Hector Blunt vint avec son air calme habituel se placer entre elle et l'inspecteur. Flora étendit à demi la main; il la prit entre les siennes, la tapota doucement, ainsi qu'il l'eût fait pour un petit enfant, et elle se tourna vers lui comme pour prendre appui sur sa sérénité.

« Nous avons une mauvaise nouvelle à vous annoncer, Flora, dit-il, mauvaise pour nous tous. Votre oncle Roger...

— Quoi ?

— Ce sera un gros chagrin pour vous. Le pauvre Roger est mort. »

Flora s'écarta de lui, les yeux dilatés par l'horreur.

« Quand ? murmura-t-elle, quand ?

— Peu après que vous l'avez quitté, probablement », dit Blunt gravement.

Flora porta la main à sa gorge, jeta un petit cri et tomba, mais je me précipitai et la saisis dans mes bras. Elle était évanouie. Blunt et moi la portâmes au premier étage et la déposâmes sur son lit. Puis, je le priai de réveiller Mme Ackroyd et de la mettre au courant.

Flora revint bientôt à elle; je lui amenai sa mère à laquelle j'expliquai quels soins il fallait lui donner, et je me hâtai de redescendre.

Martha

CHAPITRE VI

LE POIGNARD TUNISIEN

JE RENCONTRAI l'inspecteur qui sortait de l'office.

« Comment va la jeune fille, docteur ?

— Elle est revenue à elle et sa mère la soigne.

— C'est parfait. J'ai interrogé les domestiques; tous déclarent que personne ne s'est présenté ce soir, à la porte de service. La description que vous m'avez faite de cet étranger est plutôt vague; ne pouvez-vous rien me dire de plus défini ?

— Non, répondis-je avec regret, la nuit était très noire, l'homme avait relevé le col de son pardessus et baissé les bords de son chapeau sur ses yeux.

— Hum ! Il semble donc qu'il ait voulu dissimuler son visage. Vous êtes sûr que vous ne le connaissez pas ? »

Je répondis négativement, mais avec moins de conviction que je n'aurais pu le faire si je ne m'étais pas souvenu que la voix de cet homme m'avait paru familière; j'expliquai cela à l'inspecteur en hésitant.

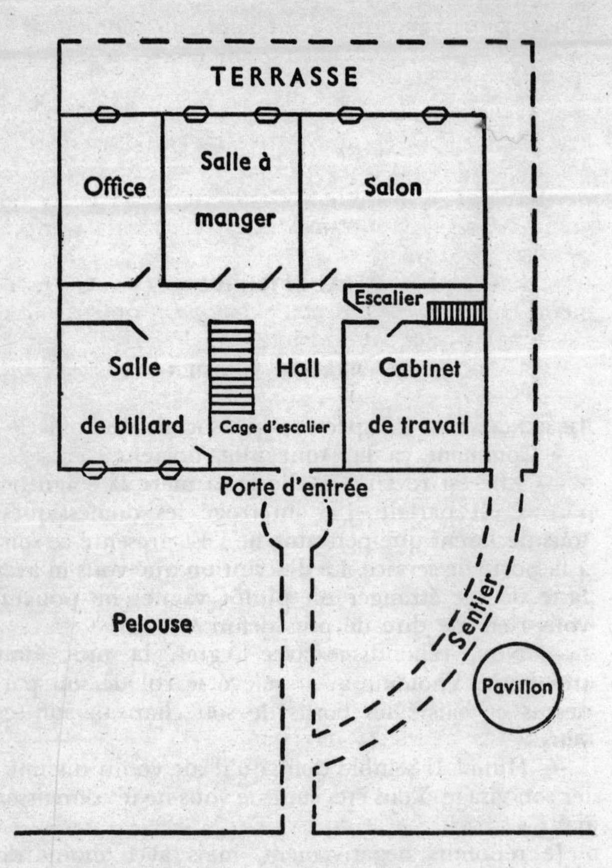

« Vous dites que c'était une voix rude, comme celle d'un homme sans éducation ? »

J'acquiesçai, quoi qu'il me semblât que cette vulgarité était presque exagérée. Si, comme le pensait l'inspecteur, l'inconnu avait voulu dissimuler sa figure, il pouvait également avoir essayé de déguiser sa voix.

« Voudriez-vous prendre la peine de retourner avec moi dans le cabinet de travail, docteur ? Je voudrais vous poser une ou deux questions. »

J'acceptai. L'inspecteur Davis ouvrit la porte du vestibule, nous y entrâmes et il referma la porte à clef derrière lui.

« Nous ne devons pas être dérangés, dit-il gravement, et il ne faut pas non plus qu'on nous écoute.

« Que signifie cette histoire de chantage ?

— Chantage ? m'écriai-je, fort ému.

— A-t-elle pris naissance dans l'imagination de Parker ou bien y a-t-il là quelque vérité ?

— Si Parker a entendu parler de chantage, répondis-je lentement, il faut qu'il ait écouté à cette porte ! »

Davis fit un signe affirmatif.

« Cela paraît évident. J'ai fait une petite enquête pour savoir quelles avaient été les occupations du maître d'hôtel durant la soirée. A dire vrai, ses manières ne me plaisent pas. Cet homme sait quelque chose; lorsque j'ai commencé à le questionner, il a vu d'où venait le vent et c'est alors qu'il m'a raconté cette affaire de chantage. »

Je pris immédiatement une décision :

« Je suis content que vous y fassiez allusion, car j'hésitais sur le point de savoir si je vous en parlerais ou non. Je m'étais à peu près décidé à tout vous dire, mais j'attendais une occasion favorable; elle se présente. »

Je lui fis alors le récit des événements de la soirée, tel que je l'ai déjà consigné ici. L'inspecteur m'écouta avec attention, en m'interrompant parfois pour me poser une question.

« C'est la plus extraordinaire affaire que j'aie jamais entendu raconter. Vous dites que la lettre a disparu ? Cela paraît significatif en vérité et nous découvrons ainsi ce que nous cherchions : le mobile du crime. »

J'inclinai la tête.

« Vous dites aussi que M. Ackroyd a émis l'hypothèse qu'il s'agissait d'une personne de son entourage ? Mais entourage est un terme assez vague.

— Ne croyez-vous pas que Parker, lui-même, pourrait être l'homme que nous cherchons ? suggérai-je.

— C'est bien possible. Il écoutait certainement à la porte lorsque vous êtes sorti. Puis, plus tard, Miss Ackroyd l'a trouvé sur le point d'entrer dans le cabinet de travail. Supposons qu'il ait encore essayé d'y pénétrer lorsqu'elle se fut éloignée. Il a pu poignarder Ackroyd, fermer la porte à l'intérieur, puis ouvrir la fenêtre qu'il a franchie et se glisser ensuite jusqu'à une autre porte par laquelle il s'était préalablement assuré qu'il lui serait possible de s'en sortir. Qu'en pensez-vous ?

— Il n'y a qu'un point obscur, dis-je lentement. Si Ackroyd a continué à lire la lettre après mon départ, comme il avait l'intention de le faire, je ne suppose pas qu'il ait pris le temps de réfléchir longuement. Il aurait fait venir Parker immédiatement et l'aurait furieusement accusé. Souvenez-vous qu'Ackroyd avait le caractère violent.

— Peut-être n'avait-il pas encore achevé de lire la lettre, suggéra l'inspecteur, puisque nous savons qu'il causait avec quelqu'un à neuf heures et demie. Si ce visiteur est arrivé tout de suite après votre départ et si ensuite Miss Ackroyd est entrée pour dire bonsoir à son oncle, celui-ci n'a sans doute pas pu terminer la lecture de sa lettre avant dix heures.

— Et la communication téléphonique ?

— C'est bien Parker qui a dû vous appeler... peut-être s'est-il adressé à vous avant de penser à la porte fermée et à la fenêtre ouverte. Puis, il a changé d'avis — ou il a pris peur — et s'est décidé à nier. Vous pouvez me croire, cela s'est bien passé ainsi.

— Ou...ui, dis-je avec quelque doute.

— D'ailleurs, par le bureau central, nous pourrons savoir d'où venait cette communication. Si elle venait bien d'ici, nul autre que Parker n'a pu vous téléphoner. C'est certainement notre homme. Mais, n'en parlez pas, car il est inutile de l'effrayer avant que nous ayons toutes les preuves. Je prendrai des précautions pour qu'il ne nous échappe pas, tandis qu'en apparence nous concentrerons nos recherches sur le mystérieux inconnu. »

Il était assis devant le bureau; il se leva et s'approcha du corps.

« L'arme devrait nous donner un indice, dit-il en me regardant, car elle est tout à fait spéciale. »

Il se baissa, examina le manche attentivement et je l'entendis pousser un grognement de satisfaction. Puis, avec précaution, il retira le poignard de la plaie en le saisissant par la lame; ensuite, toujours sans toucher la poignée, il le plaça dans un vase chinois qui décorait la cheminée.

« Oui, reprit-il, c'est une véritable œuvre d'art et il ne doit pas y en avoir d'autres semblables. »

L'arme était en effet fort belle. Elle avait une lame fine surmontée d'une poignée délicatement ciselée.

L'inspecteur en effleura le tranchant et fit une grimace significative.

« Grand Dieu ! qu'il est bien affilé ! s'exclama-t-il. Avec ce poignard, un enfant pourrait tuer un homme sans difficulté. C'est un jouet dangereux à garder.

— Puis-je examiner le corps maintenant ? demandai-je.

— Faites. »

Je me livrai à des constatations minutieuses.

« Eh bien ? interrogea l'inspecteur, lorsque j'eus terminé.

— Je vous épargne les expressions techniques que j'emploierai au cours de l'enquête, dis-je. Le coup a été porté par un homme se servant de sa main droite et la mort a dû être instantanée. D'après l'expression même du visage de la victime, je crois pouvoir ajouter que l'attaque a été tout à fait inattendue et qu'Ackroyd est, sans doute, mort sans savoir quel était son agresseur.

— Les domestiques apprennent à marcher aussi doucement que des chats, reprit Davis. Ce crime ne me paraît pas devoir être très mystérieux. Regardez la poignée de l'arme. »

Je regardai.

« Je suppose que vous ne les voyez pas, mais moi je les aperçois clairement, reprit-il en baissant la voix, il y a des empreintes digitales. »

Et il recula de quelques pas pour juger de l'effet que son affirmation avait dû produire sur moi.

« Oui, répliquai-je doucement, je m'en doutais. »

Je ne vois pas pourquoi il me supposait absolument dénué de perspicacité; je lis des romans policiers, je lis des journaux et je suis un homme assez cultivé.

Je crois que l'inspecteur fut vexé de ne pas me voir plus surpris. Il prit le vase de Chine et m'invita à l'accompagner dans la salle de billard.

« Je veux demander à M. Raymond s'il connaît ce poignard », dit-il.

Après avoir fermé la porte à clef, nous nous dirigeâmes vers la salle de billard où nous trouvâmes Geoffroy Raymond. L'inspecteur lui montra le stylet :

« Connaissez-vous ceci ?

— Mais, je crois... je suis presque sûr que cette arme a été donnée à Ackroyd par le major Blunt. Elle vient du Maroc... non, de Tunis. Le crime a donc été commis avec ce poignard ? C'est extraordinaire, presque impossible ! Pourtant il ne doit pas y avoir deux armes semblables ! Puis-je aller chercher le major Blunt ? »

Sans même attendre la réponse, il partit.

« Gentil garçon ! dit l'inspecteur. Il y a en lui quelque chose d'honnête et d'ingénu. »

Je partageais cette opinion. Au cours des deux années pendant lesquelles Geoffroy Raymond avait été le secrétaire d'Ackroyd, je ne l'avais jamais vu de mauvaise humeur et je savais qu'il avait admirablement rempli ses fonctions. Il revint au bout d'un instant, accompagné de Blunt, et dit d'une voix émue :

« J'avais raison. C'est bien le poignard tunisien.

— Mais le major ne l'a pas encore regardé, objecta l'inspecteur.

— Je l'ai remarqué dès que je suis entré dans le cabinet de travail, repartit tranquillement celui-ci.

— Et vous l'avez reconnu ? »

Blunt fit un signe de tête affirmatif.

« Pourquoi ne l'avez-vous pas dit ? demanda l'inspecteur d'un ton soupçonneux.

— Mauvais moment, déclara Blunt. Beaucoup de mal est causé souvent par des mots inconsidérés. »

Et il soutint avec calme le regard de l'inspecteur.

Ce dernier grogna et se détourna, puis il alla prendre le poignard et l'apporta au major.

« Le reconnaissez-vous avec certitude, monsieur ?

— Absolument, il n'y a aucun doute à cet égard.

— Où cet objet se trouvait-il habituellement ? Pouvez-vous me le dire ? »

Ce fut le secrétaire qui répondit :

« Dans la vitrine d'argent du salon.

— Comment ! » m'écriai-je.

Les autres personnes me regardèrent.

« Qu'est-ce qu'il y a, docteur ? demanda l'inspecteur d'un ton encourageant.

— Rien.

— Cependant ?

— C'est tellement insignifiant, expliquai-je, comme en m'excusant. Lorsque je suis arrivé pour dîner, j'ai entendu se refermer le couvercle de la vitrine du salon. »

Je lus un profond scepticisme et un certain soupçon dans le regard de l'inspecteur.

Je fus obligé de raconter l'incident en détail; mes explications furent longues et compliquées et j'eusse infiniment préféré ne pas avoir à les donner. L'inspecteur m'écouta en silence, puis demanda :

« Le stylet était-il à sa place lorsque vous avez examiné le contenu de la vitrine ?

— Je ne sais pas, répondis-je, je ne me rappelle pas l'avoir vu, mais il pouvait quand même s'y trouver.

Jean

— Il vaut mieux que nous appelions la gouvernante », déclara l'inspecteur en tirant la sonnette.

Un instant plus tard Miss Russell, que Parker était allé chercher, entra.

« Je ne crois pas m'être approchée de la vitrine, dit-elle, lorsque l'inspecteur lui eut posé la question. Je regardais seulement si les fleurs étaient encore fraîches. Ah ! si, je me souviens; la vitrine était ouverte et j'en ai refermé le couvercle en passant. »

Elle regarda l'inspecteur d'un air un peu froissé.

« Je comprends, dit celui-ci. Pouvez-vous préciser si ce poignard était à sa place ? »

Miss Russell contempla l'arme avec calme.

« Je ne puis vous répondre, répliqua-t-elle, car je ne me suis pas attardée; ces dames allaient descendre et je désirais m'éloigner.

— Plutôt irritable, je crois, déclara Davis en la suivant des yeux. Voyons : cette vitrine se trouve devant une des portes-fenêtres, n'est-ce pas, docteur ? »

Raymond prit la parole à ma place.

« Oui, devant celle de gauche.

— Celle-ci était-elle ouverte ?

— Elles étaient entrouvertes toutes les deux.

— Je crois qu'il est inutile que nous cherchions à élucider davantage ce point. Quelqu'un — je n'en dirai pas plus — pouvait enlever cette arme à un moment quelconque et l'instant exact où il l'a prise n'a pas grande importance. Je reviendrai dans la matinée avec le chef constable; jusque-là, je garderai la clef de la porte. Je désire que le colonel Melrose trouve tout dans le même état. Je sais qu'il passe la soirée et la nuit à l'autre extrémité du comté... »

L'inspecteur prit le vase de Chine et déclara :

« Il faut que j'emballe ceci avec soin car ce sera une très importante pièce à conviction. »

Quelques minutes plus tard, je sortais de la salle de billard avec Raymond, celui-ci eut un petit rire et me pressa le bras. Je suivis la direction de son regard et je vis que Davis paraissait consulter Parker au sujet d'un agenda de poche.

« Un peu trop limpide, murmura mon compagnon, Parker est donc suspect ? Devrions-nous aussi remettre nos empreintes digitales à l'inspecteur Davis ? »

Il prit deux cartes de visite sur un plateau, les essuya avec son mouchoir, m'en donna une et garda l'autre. Ensuite, les reprenant toutes deux, il les tendit à l'inspecteur avec un sourire en disant : « Souvenirs N° 1, docteur Sheppard; N° 2, votre humble serviteur. Le major Blunt y ajoutera le sien sous peu. »

La jeunesse est légère. Même l'assassinat de son patron et ami, ne pouvait assombrir longtemps l'esprit de Geoffroy Raymond. Peut-être est-il bon que les choses se présentent ainsi. Je ne sais, ayant perdu moi-même depuis longtemps la faculté de m'adapter aux événements.

Il était fort tard lorsque je rentrai chez moi. J'espérais que Caroline était allée se coucher. J'aurais dû mieux la connaître ! Elle m'avait préparé du chocolat et, pendant que je le buvais, elle m'extorqua le récit de tous les événements de la soirée.

Je ne soufflai pas mot du chantage et me contentai des détails concernant le meurtre.

« La police soupçonne Parker, dis-je en me préparant à monter l'escalier. Il semble y avoir contre lui de lourdes charges.

— Parker ! répondit ma sœur. Allons donc ! Il faut que cet inspecteur soit un imbécile ! Parker ! En vérité, ne m'en fais pas accroire. »

Sur quoi nous allâmes nous coucher.

CHAPITRE VII

J'APPRENDS QUELLE EST LA PROFESSION DE MON VOISIN

LE LENDEMAIN matin, je fis ma tournée de visites avec une hâte regrettable; je puis dire pour m'excuser que je n'avais à voir aucun malade sérieux. A mon retour, Caroline vint à ma rencontre dans le vestibule.

« Flora Ackroyd est ici, m'annonça-t-elle d'une voix animée.

— Quoi ? »

Je cachai ma surprise autant que cela me fut possible.

« Elle désire beaucoup te voir et t'attend depuis une demi-heure. »

Caroline me précéda dans le petit salon où Flora était assise sur le divan, près de la fenêtre. Elle était vêtue de noir et se tordait nerveusement les mains. L'aspect de son visage blême me frappa, mais lorsqu'elle parla, ce fut avec le plus grand calme.

« Docteur Sheppard, je suis venue vous demander de m'aider.

— Il vous aidera certainement, chère enfant », dit Caroline.

Je ne crois pas que Flora eût désiré que Caroline assistât à notre entretien; mais elle voulait, avant tout, gagner du temps, aussi fit-elle contre mauvaise fortune bon cœur.

« Je voudrais que vous vinssiez aux « Mélèzes » avec moi.

— Aux « Mélèzes » ? m'écriai-je, étonné.

— Pour voir cet étrange petit homme ? s'écria Caroline.

— Oui. Vous savez qui il est, je présume ?

— Nous supposions, répondis-je, que c'était un ancien coiffeur. »

Les yeux bleus de Flora s'ouvrirent démesurément.

« Comment ! Mais c'est Hercule Poirot, le détective. On dit qu'il a fait les choses les plus merveilleuses, tout comme les policiers des romans. Il s'est retiré il y a un an et il est venu habiter ici. Mon oncle le connaissait, mais il avait promis de ne rien dire à personne, parce que M. Poirot désirait vivre en paix, sans être dérangé.

— Et voilà le mystère dévoilé ! dis-je posément.

— Vous avez certainement entendu parler de lui ?

— Caroline prétend que je suis un vieux fossile, mais j'ai pourtant, en effet, entendu parler de cet homme.

— C'est extraordinaire ! » déclara ma sœur.

Je ne sais pas à quoi elle faisait allusion; sans doute à ce qu'elle-même n'avait pas découvert la vérité.

« Vous désirez aller le voir ? demandai-je lentement, pourquoi ?

— Pour le prier de faire des recherches au sujet du meurtre, dit vivement Caroline, ne sois pas aussi stupide, James. »

Je n'étais pas stupide. Caroline ne comprend pas toujours les motifs qui me font agir.

« Vous n'avez pas confiance dans l'inspecteur Davis ? continuai-je.

— Bien entendu, elle n'a pas confiance, dit ma sœur, pas plus que moi. »

On aurait pu croire que la victime était le propre oncle de Caroline.

« Comment savez-vous qu'il accepterait de s'occuper de l'affaire ? N'a-t-il pas abandonné sa profession ?

— C'est bien là où est la difficulté, dit Flora simplement, il faut que je le persuade.

— Etes-vous certaine que vous agissez sagement ? demandai-je avec gravité.

— Certainement, interrompit Caroline, je l'accompagnerai moi-même si elle le désire.

— Veuillez m'excuser, Miss Sheppard, je préférerais que ce fût le docteur. »

Flora connaît la valeur des coups droits. Une réponse évasive n'aurait pas porté ses fruits avec Caroline.

« Voyez-vous, ajouta la jeune fille avec tact, le docteur Sheppard, ayant découvert le corps, sera mieux en situation de donner des détails à M. Poirot.

— En effet », répondit Caroline, à regret.

Je fis un ou deux tours dans la pièce.

« Flora, dis-je tristement, suivez mon conseil et ne sollicitez pas l'intervention de ce détective. »

Flora bondit sur ses pieds et rougit violemment.

« Je sais pourquoi vous me dites cela, cria-t-elle; mais c'est justement pour cette raison que je désire agir ainsi. Vous avez peur ! Moi pas ! Je connais Ralph mieux que vous !

— Ralph ? demanda ma sœur. En quoi cela concerne-t-il Ralph ? »

Aucun de nous ne l'écoutait.

« Ralph peut être faible, reprit Flora, et même avoir commis, dans le passé, des actes regrettables, mais il n'assassinerait personne !

— Non ! non ! m'écriai-je, je n'ai jamais pensé à lui !

— Alors pourquoi êtes-vous allé aux « Trois Dindons » hier soir, demanda Flora, en rentrant chez vous, après avoir trouvé le corps de mon oncle ? »

Je restai un instant confondu car j'avais espéré que ma visite était passée inaperçue.

« Comment le savez-vous ? demandai-je.

— Je m'y suis rendue ce matin, répondit Flora, car j'avais appris par les domestiques que Ralph s'y trouvait. »

Je l'interrompis :

« Vous ne saviez pas qu'il était à King's Abbot ?

— Non, j'ai été stupéfaite. Je suis allée à l'auberge et je l'ai demandé. On m'a répondu, comme on a dû vous le dire aussi, je suppose, qu'il était sorti vers neuf heures, hier soir, et... qu'il n'est pas rentré. »

Ses yeux soutinrent mon regard avec une sorte de défi, puis, comme si elle répondait à une pensée qu'elle y lisait, elle s'exclama :

« Pourquoi ne serait-il pas sorti ? Il pouvait aller... n'importe où... même retourner à Londres.

— En laissant ses bagages derrière lui ? » demandai-je doucement.

Flora frappa du pied.

« Qu'importe ! Il doit y avoir une explication.

— C'est pour cela que vous voulez voir Hercule Poirot ? Ne vaudrait-il pas mieux laisser les choses en l'état puisque la police ne soupçonne nullement Ralph. Elle est partie sur une tout autre piste.

— Mais non et c'est justement cela qui me fait agir, cria la jeune fille. Elle le suspecte. Un policier de Cranchester est arrivé ce matin. Il s'appelle l'inspecteur Raglan; c'est un petit homme à figure de fouine. J'ai appris qu'il s'était rendu aux « Trois Dindons », avant moi. On m'a répété les questions qu'il a posées. Il croit certainement que Ralph est l'auteur du crime.

— S'il en est ainsi, l'opinion s'est modifiée depuis hier soir, dis-je lentement. Cet inspecteur ne partage donc pas l'idée de Davis au sujet de Parker ?

— Parker ? » dit ironiquement ma sœur.

Flora s'avança et posa sa main sur mon bras.

« Docteur Sheppard, allons tout de suite voir ce M. Poirot. Il découvrira la vérité.

— Ma chère Flora, insistai-je doucement, en couvrant sa main de la mienne, êtes-vous sûre que nous désirions connaître la vérité ? »

Elle me regarda et inclina gravement la tête.

« J'en suis sûre en ce qui me concerne.

— Ralph n'a certainement pas commis le crime, reprit Caroline qui avait gardé le silence avec une grande difficulté, il est prodigue, sans doute, mais c'est un charmant garçon, admirablement élevé. »

J'aurais voulu dire à Caroline que de nombreux

assassins ont été bien élevés, mais la présence de Flora m'en empêcha.

La jeune fille étant résolue, j'étais bien obligé d'accéder à son désir et nous partîmes aussitôt.

Une vieille femme, coiffée d'un immense bonnet breton, nous ouvrit la porte des « Mélèzes ». M. Poirot était chez lui.

Nous fûmes introduits dans un petit salon dont les meubles étaient disposés avec raideur et où, presque aussitôt, mon interlocuteur de la veille nous rejoignit.

« Monsieur le docteur, dit-il en souriant, mademoiselle... »

Il s'inclina devant Flora.

« Sans doute, commençai-je, avez-vous appris le drame qui s'est déroulé hier soir ? »

Son visage devint grave.

« En effet. C'est affreux. J'offre toute ma sympathie à mademoiselle. De quelle manière puis-je vous être utile ?

— Miss Ackroyd voudrait que vous... vous...

— Découvriez l'assassin ! dit Flora d'une voix nette.

— Je comprends, repartit le petit homme, mais la police va s'en occuper.

— Elle peut commettre des erreurs, répliqua la jeune fille. Elle a même déjà commencé à en commettre. Monsieur Poirot, ne voulez-vous pas nous aider ? Si... si c'est une question d'argent... »

Poirot leva la main.

« Je vous en prie, mademoiselle. Je ne déteste pas l'argent », ses yeux brillèrent, « j'en ai toujours tenu compte; mais si j'entreprends cette affaire, comprenez-moi bien : *j'irai jusqu'au bout.* Un bon chien ne quitte jamais une piste et vous en viendrez peut-être à déplorer de ne pas avoir laissé la police opérer seule.

— Je veux savoir la vérité, dit Flora en le regardant bien en face.

— Toute la vérité ?

— Toute la vérité.

— Alors j'accepte, déclara mon voisin, et j'espère que vous ne regretterez pas ces paroles. Maintenant donnez-moi tous les détails.

— Le docteur Sheppard va vous mettre au courant car il en sait plus que moi. »

Ainsi mis en cause, je me plongeai dans un récit circonstancié de tous les faits que j'ai déjà relatés. Poirot m'écouta avec attention, en m'interrompant parfois pour me poser une question, mais en restant la plupart du temps silencieux, les yeux fixés au plafond. J'arrêtai mon compte rendu au moment où l'inspecteur Davis et moi avions quitté Fernly Park, la veille au soir.

« Maintenant, dit Flora, tandis que je finissais, dites-lui ce qui concerne Ralph. »

J'hésitai, mais son regard impérieux me força à parler.

« Vous êtes allé à l'auberge des « Trois Dindons » hier soir en rentrant ? me demanda Poirot, dans quel but ? »

Je ne répondis qu'au bout d'un instant pour avoir le temps de choisir mes mots avec soin.

« Je trouvais que quelqu'un devait informer le capitaine Paton de la mort de son oncle et je réfléchis, après avoir quitté Fernly, que je devais être seul, avec M. Ackroyd, à connaître sa présence dans ce village. »

Poirot acquiesça.

« En effet; ce fut votre seul motif de faire cette visite ?

— Mon seul motif, dis-je brièvement.

— Vous ne cherchiez pas... comment dirai-je... à vous rassurer au sujet du jeune homme ?

— Me rassurer ?

— Je crois, monsieur le docteur, que vous comprenez ce à quoi je pense, bien que vous prétendiez le contraire, et je me permets de supposer que vous auriez été très soulagé si vous aviez appris que le capitaine Paton était resté toute la soirée dans sa chambre.

— Pas du tout. »

Le petit détective me regarda en hochant la tête.

« Vous n'avez pas en moi la même confiance que Miss Flora, dit-il, mais c'est sans importance. Ce qu'il nous faut envisager c'est ceci : le capitaine Paton a disparu dans des circonstances qu'il serait utile d'élucider. Je ne vous cacherai pas que cette charge contre lui est sérieuse. Pourtant j'admets qu'il peut y avoir une explication toute simple.

— C'est bien ce que je dis », s'écria vivement Flora.

Poirot n'insista pas sur ce sujet et offrit d'entrer immédiatement en contact avec la police locale. Il donna à Flora le conseil de rentrer chez elle et me pria, au contraire, de l'accompagner et de le présenter à l'officier de police, chargé de l'affaire.

Nous partîmes donc et trouvâmes, à l'extérieur du poste, l'inspecteur Davis qui avait un aspect fort déconfit. Le colonel Melrose, chef constable et un autre homme que je n'eus pas de peine à reconnaître, d'après la description de Flora, comme étant l'inspecteur Raglan, de Cranchester, se trouvaient avec lui.

Je connaissais assez bien Melrose auquel je présentai Poirot en lui expliquant la situation. Le chef constable parut très vexé et l'inspecteur Raglan devint sombre, tandis que Davis se réjouissait manifestement de les voir ainsi ennuyés.

« L'affaire va être simple, déclara Raglan, et il n'est pas utile que des amateurs s'en mêlent. N'importe quel apprenti aurait pu tout comprendre hier soir et nous n'aurions pas perdu douze heures. »

Il dirigea un regard sévère vers le pauvre Davis qui le reçut d'ailleurs d'un air absolument placide.

« La famille de M. Ackroyd doit, évidemment, faire ce qu'elle juge utile, dit le colonel Melrose, mais il ne faut pas que l'enquête officielle puisse être entravée en aucune façon. Cependant, ajouta-t-il courtoisement, la grande réputation de M. Poirot m'est connue.

— La police ne peut, hélas ! faire sa propre réclame », déclara Raglan.

Ce fut Poirot qui sauva la situation.

« Il est vrai que je me suis retiré de ma profession, déclara-t-il, et que j'avais l'intention de ne plus m'occuper d'aucune affaire. J'ai par-dessus tout horreur de la publicité et je vous supplie, au cas où je contribuerais à élucider ce mystère, de ne pas prononcer mon nom. »

Le visage de l'inspecteur Raglan s'éclaira quelque peu.

« J'ai entendu parler des remarquables résultats que vous avez obtenus, déclara le colonel.

— J'ai beaucoup travaillé, dit Poirot tranquillement, mais j'ai dû la plus grande partie de mes succès à la collaboration de la police anglaise et, si l'inspecteur Raglan veut bien m'autoriser à l'aider, j'en serai à la fois flatté et honoré. »

L'attitude de l'inspecteur devint de plus en plus gracieuse, le colonel Melrose me prit à part.

« D'après ce qu'on m'a raconté, murmura-t-il, ce petit homme a vraiment fait des choses merveilleuses. Bien entendu, nous désirons vivement ne pas avoir à nous adresser à Scotland Yard. Raglan paraît très sûr de ses déductions, mais j'hésite à partager sa manière de voir. Je connais... les personnes intéressées bien mieux que lui. Ce détective ne semble pas affamé de réclame et il est probable qu'il travaillera avec nous sans ostentation, n'est-ce pas ?

— Pour la plus grande gloire de l'inspecteur Raglan, dis-je solennellement.

— Bien, bien, reprit le colonel à haute voix. Il faut que nous vous mettions au courant de nos dernières découvertes, monsieur Poirot.

— Je vous remercie; mon ami, le docteur Sheppard m'a parlé de soupçons concernant le maître d'hôtel.

— C'est ridicule, s'écria Raglan. Ces domestiques de grandes maisons se mettent dans de tels états qu'ils paraissent agir d'une manière anormale, sans que rien le justifie.

— Et les empreintes digitales ? insinuai-je.

— Ne ressemblent aucunement à celles de Parker. » Il eut un léger sourire et ajouta : « Non plus qu'aux vôtres, ni à celles de M. Raymond.

— Ressemblent-elles à celles du capitaine Paton ? » demanda Poirot avec calme.

J'éprouvai quelque admiration en le voyant prendre le taureau par les cornes et je distinguai dans les yeux de l'inspecteur une nuance de respect.

« Je constate que vous ne perdez pas de temps, monsieur Poirot; ce sera un plaisir de travailler avec vous. Nous relèverons les empreintes de ce jeune homme dès que nous pourrons mettre la main sur lui.

— Je ne puis m'empêcher de croire que vous vous trompez, inspecteur, dit le colonel avec chaleur. Je connais Ralph Paton depuis son enfance; il ne s'abaisserait jamais à commettre un meurtre.

— C'est possible, répondit l'inspecteur sans conviction.

— Que relevez-vous contre lui ? demandai-je.

— Il est juste sorti à neuf heures, hier soir, et a été vu aux environs de Fernly Park vers neuf heures et demie; personne ne sait ce qu'il est devenu ensuite. Il paraît se débattre contre de sérieuses difficultés budgétaires. J'ai ici une paire de souliers lui appartenant qui portent des talonnettes de caoutchouc et que je vais comparer avec les traces de pas relevées sur l'appui de la fenêtre; j'ai mis un constable de faction, pour qu'elles demeurent intactes.

— Partons tout de suite, dit le colonel Melrose; docteur, vous nous accompagnerez avec M. Poirot, n'est-ce pas ? »

Nous répondîmes affirmativement et nous partîmes tous dans l'automobile du chef constable.

L'inspecteur qui voulait se rendre directement à l'endroit où se trouvaient les empreintes, demanda à être déposé près de la grille car, sur la droite, un sentier conduisait à la terrasse et à la fenêtre du cabinet de travail d'Ackroyd.

« Préférez-vous aller avec l'inspecteur, monsieur

Poirot ? demanda Melrose, ou d'abord examiner la pièce ? »

Le détective choisit la seconde proposition. Parker nous ouvrit la porte. Ses manières étaient calmes, déférentes, et il paraissait remis de sa frayeur de la veille.

Le colonel prit une clef dans sa poche et, après avoir ouvert le petit vestibule, nous introduisit dans le cabinet.

« Le corps a été enlevé, mais cette pièce est exactement dans l'état où elle se trouvait hier soir.

— Où était le cadavre ? » demanda Poirot.

Je décrivis sa position aussi clairement que possible. Le fauteuil était encore devant la cheminée. Poirot alla s'y asseoir.

« Où était la lettre bleue dont vous m'avez parlé ?

— M. Ackroyd l'avait déposée sur cette petite table, à sa droite. »

Poirot demanda encore :

« Sauf sur ce point, tout est à la même place ?

— Je crois pouvoir l'affirmer.

— Colonel, voulez-vous avoir la bonté de vous asseoir un instant sur cette chaise ? Je vous remercie. Maintenant, monsieur le docteur, indiquez-moi la position exacte du poignard. »

Je donnai le renseignement au petit homme qui se tenait debout sur le seuil.

« La poignée de l'arme était donc visible d'ici. Vous et Parker avez dû la distinguer immédiatement.

— Oui. »

Poirot se dirigea vers la fenêtre et demanda en tournant la tête :

« La lumière électrique était allumée, je suppose, lorsque vous avez trouvé le cadavre ?

— Oui », répondis-je encore et je le rejoignis tandis qu'il examinait les empreintes de pas qui étaient visibles sur l'appui de la fenêtre.

« Les talonnettes en caoutchouc sont du même modèle que celles des souliers du capitaine Ralph Paton », dit-il doucement.

Il regagna le milieu de la pièce et son regard aigu en fit le tour.

« Etes-vous observateur, docteur ? me demanda-t-il enfin.

— Je le crois, répondis-je, étonné.

— Je vois qu'il y avait du feu dans la cheminée lorsque vous avez enfoncé la porte et trouvé M. Ackroyd mort. A quel point en était le feu ? Etait-il près de s'éteindre ? »

Je me mis à rire d'un air un peu vexé.

« Je... je ne puis vous renseigner, je n'ai pas fait attention. Peut-être M. Raymond ou le major Blunt... »

Le petit homme secoua la tête et se mit à sourire à son tour.

« Il faut toujours procéder avec méthode et j'ai commis une erreur de jugement en vous posant cette question. A chacun son métier : vous pouvez, sans en rien laisser échapper, me dire quel était l'aspect du corps. Si je voulais avoir des indications sur les papiers empilés sur ce bureau, je devrais interroger M. Raymond; pour connaître l'état du feu, je dois m'adresser à celui qui est chargé de s'en occuper. Vous permettez... »

Il se dirigea rapidement vers la cheminée et sonna. Une ou deux minutes après, Parker se montra.

« On a sonné, monsieur, dit-il en hésitant.

— Entrez, Parker, dit le colonel Melrose. Monsieur veut vous poser une question. »

Parker regarda respectueusement Poirot. Celui-ci lui dit :

« Lorsque vous avez enfoncé la porte, hier soir, avec l'aide du docteur Sheppard et trouvé votre maître mort, où en était le feu ? »

Parker répliqua sans hésiter :

« Il était très bas, monsieur, presque éteint.

— Ah ! » s'exclama Poirot d'un air triomphant. Puis il reprit :

« Regardez autour de vous, mon brave Parker, cette pièce est-elle exactement dans le même état qu'à ce moment-là ? »

Les yeux du maître d'hôtel en firent le tour, puis se posèrent sur les fenêtres.

« Les rideaux étaient tirés, monsieur, et l'électricité allumée. »

Poirot inclina la tête.

« Y avait-il d'autres différences ?

— Oui, monsieur, ce fauteuil était un peu plus avancé. » Il indiquait une grande bergère qui se trouvait à gauche, entre la porte et la fenêtre. Je joins à mon récit un plan de la pièce en marquant ce meuble d'une croix.

« Remettez-le comme il était », dit Poirot.

Le maître d'hôtel ramena la bergère de soixante centimètres au moins en avant et la tourna de manière que le siège fît face à la porte.

« Voilà qui est curieux, murmura Poirot, personne ne s'assoirait sur ce fauteuil ainsi placé et je me demande qui l'a repoussé. Est-ce vous, mon ami ?

— Non, monsieur, répondit Parker, j'étais bien trop bouleversé de voir mon maître assassiné. »

Poirot me regarda.

« Est-ce vous, docteur ? »

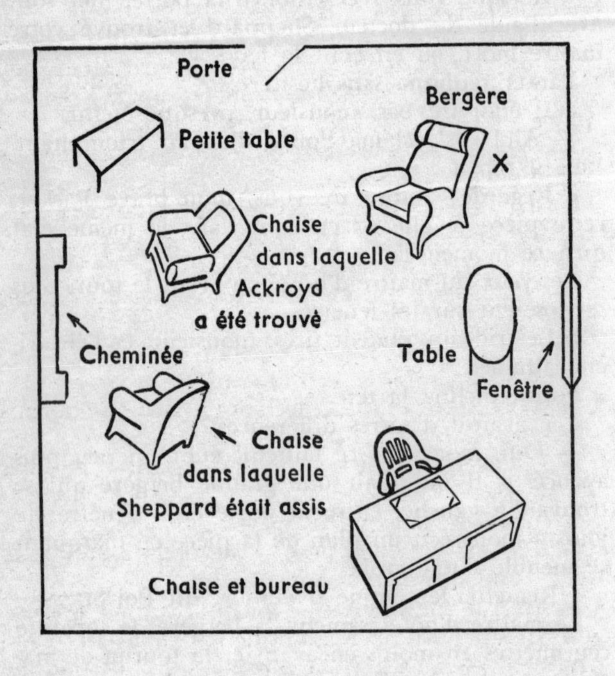

Je secouai négativement la tête.

« Il était à sa place lorsque je suis revenu avec la police, monsieur, déclara le maître d'hôtel, j'en suis absolument certain.

— Raymond ou Blunt peuvent l'avoir repoussé, suggérai-je, cela n'a pas grande importance.

— Cela n'en a aucune, en effet », dit Poirot en remettant la bergère à sa place primitive, puis il ajouta doucement : « C'est bien pourquoi la chose est si intéressante !

— Excusez-moi un instant », dit le colonel Melrose qui sortit de la pièce avec le maître d'hôtel.

« Croyez-vous que Parker dise la vérité ? demandai-je.

— Au sujet du fauteuil, oui; autrement, je ne sais pas. Vous découvririez, monsieur le docteur, si vous vous trouviez souvent en présence de cas de ce genre, qu'ils se ressemblent tous par certain côté.

— Lequel ? interrogeai-je curieusement.

— Tous ceux qui y sont mêlés ont quelque chose à cacher.

— Même moi ? » fis-je en souriant.

Poirot me regarda avec attention.

« Vous aussi, je crois, déclara-t-il sans s'émouvoir.

— Mais...

— M'avez-vous dit tout ce que vous saviez au sujet de ce jeune Paton ? »

Il sourit tandis que je rougissais.

« Oh ! ne craignez rien; je ne vous harcèle pas et je l'apprendrai en temps voulu.

— Je voudrais bien que vous puissiez me donner quelques indications au sujet de vos méthodes, dis-je vivement pour cacher ma confusion, la question du feu, par exemple.

— Oh ! c'est fort simple. Vous avez quitté M. Ackroyd à... neuf heures moins dix, n'est-ce pas ?

— Oui, exactement.

— La fenêtre était close alors et la porte n'était

pas fermée à clef. Entre dix heures un quart et dix heures et demie, lorsque le meurtre a été découvert, la porte était fermée et la fenêtre ouverte. Qui a pu l'ouvrir ? M. Ackroyd seul et cela pour une des deux raisons suivantes : ou bien la température de la pièce devenait insupportable, et cette hypothèse est à rejeter, car le feu était presque éteint et la nuit était fraîche; ou bien, il a fait entrer quelqu'un par là. Or, s'il a accepté qu'une personne pénétrât par cette voie, cette personne devait lui être bien connue, puisqu'il s'était, préalablement, montré inquiet au sujet de cette même fenêtre.

— Cela paraît fort simple, dis-je.

— Tout est simple si vous groupez méthodiquement les faits. Ce qui nous importe actuellement, c'est de déterminer qui était avec M. Ackroyd hier soir, à neuf heures et demie. Tout porte à croire que l'homme avec lequel il s'entretenait à ce moment-là est entré par la fenêtre et, bien que Miss Ackroyd ait vu encore son oncle vivant un peu plus tard, nous ne pourrons trouver le mot de l'énigme que lorsque nous saurons quel était ce visiteur. La fenêtre peut avoir été laissée ouverte après son départ et avoir donné ensuite passage au meurtrier; ou encore la même personne peut être revenue une seconde fois. Ah ! voici le colonel qui rentre ! »

Le colonel Melrose arrivait, en effet, le visage animé.

« L'endroit d'où la communication téléphonique a été demandée a pu être précisé, dit-il; ce n'est pas d'ici. On a appelé le docteur Sheppard à dix heures quinze, hier soir, d'une cabine publique à la gare de King's Abbot, et à 10 heures 28, l'express du soir part pour Liverpool. »

CHAPITRE VIII

L'INSPECTEUR RAGLAN EST PLEIN DE CONFIANCE

Nous nous regardâmes.

« Bien entendu vous ferez une enquête à la gare ? dis-je.

— Naturellement; mais je n'ai pas grande foi en ses résultats. Vous connaissez la gare ? »

Je la connaissais. King's Abbot n'est qu'un village, mais c'est un important embranchement de voies ferrées. La plupart des grands express s'y arrêtent; des trains y sont garés et formés; il y a deux ou trois cabines téléphoniques. A cette heure-là, trois trains locaux entrent en gare pour assurer la correspondance avec l'express du Nord qui arrive à 10 heures 19 et part à 10 heures 28. Tout est en effervescence et il y a bien peu de probabilités pour qu'une personne téléphonant ou montant dans l'express puisse être remarquée.

« Mais pourquoi a-t-on téléphoné ? demanda Melrose. Je trouve cela tout à fait extraordinaire et inexplicable. »

Poirot redressa avec soin un bibelot et dit, en se détournant légèrement :

« Soyez sûr qu'il y avait une raison.

— Quelle pouvait-elle être ?

— Lorsque nous la connaîtrons, nous saurons tout. Cette affaire est très curieuse et très intéressante. »

La manière dont il prononça ces derniers mots était indescriptible; je sentis qu'il examinait le cas sous un angle très spécial et je ne pus comprendre ce à quoi il pensait.

Il se dirigea vers la fenêtre et regarda dehors.

« Vous dites qu'il était neuf heures, docteur, lorsque vous avez rencontré cet étranger à l'entrée du parc ? »

Il me posa cette question sans se retourner.

« Oui, répliquai-je, j'ai entendu sonner l'horloge.

— Combien de temps lui aura-t-il fallu pour gagner la maison... pour atteindre cette fenêtre, par exemple ?

— Cinq minutes, tout au plus; deux ou trois seulement s'il a pris le sentier sur la droite et s'il est venu ici directement.

— Mais, pour agir ainsi, il aurait fallu qu'il connût les aîtres ?

— C'est vrai, dit le colonel Melrose.

— Nous pourrons probablement découvrir si M. Ackroyd a reçu la visite d'un étranger au cours de la semaine dernière.

— Le jeune Raymond pourra nous le dire, suggérai-je.

— Ou Parker, reprit Melrose.

— Ou tous les deux », dit Poirot en souriant.

Le colonel partit à la recherche de Raymond et je sonnai Parker une fois de plus.

Le chef constable revint presque aussitôt accompagné du jeune secrétaire qu'il présenta à Poirot. Geoffroy Raymond était aimable comme à son ordinaire; il parut enchanté de faire la connaissance du détective.

« Je ne me doutais pas que vous viviez parmi nous incognito, monsieur Poirot, dit-il; il sera fort intéressant de vous voir à l'œuvre... Qu'est-ce qu'il y a ? »

Poirot se tenait debout à la gauche de la porte. Il s'écarta soudain et je vis qu'il avait dû, pendant que je lui tournais le dos, attirer la bergère dans la position que le maître d'hôtel avait indiquée.

« Vous voulez que je m'assoie ? demanda Raymond avec bonne humeur. Pourquoi ?

— Ce fauteuil était dans cette position, hier soir lorsque M. Ackroyd a été assassiné. Puis quelqu'un l'a remis à sa place, est-ce vous ? »

Le secrétaire répondit sans hésiter :

« Certainement non. Je ne me rappelle même pas l'avoir vu en cet endroit, mais il devait y être puisque vous l'affirmez. Quelqu'un d'autre a dû le remettre où il était auparavant. A-t-on détruit un indice en agissant ainsi ? C'est malheureux !

— Cela n'a pas d'importance, dit le détective, aucune importance en vérité. Ce que je voulais vous demander, monsieur Raymond, c'est ceci : un inconnu est-il venu voir M. Ackroyd, cette semaine ? »

Le secrétaire réfléchit un instant en caressant ses sourcils et, à ce moment, Parker se montra sur le seuil.

« Non, dit enfin Raymond, je me rappelle n'avoir vu personne, et vous, Parker ?

— Je demande pardon à monsieur, de quoi s'agit-il ?

— M. Ackroyd a-t-il reçu, cette semaine, la visite d'un étranger ? »

Le maître d'hôtel se recueillit :

« Il y a eu le jeune homme qui est venu mercredi, dit-il enfin; je crois qu'il était envoyé par Curtis et Troute. »

Raymond fit un geste impatient.

« Je me le rappelle, en effet, mais monsieur ne fait pas allusion à une personne de cette sorte. »

Il se tourna vers M. Poirot :

« M. Ackroyd avait eu l'idée d'acheter un dictaphone, expliqua-t-il, ce qui nous eût permis de travailler plus vite. La maison en question a envoyé son représentant, mais M. Ackroyd n'a pas donné suite à son projet. »

Poirot regarda le maître d'hôtel.

« Pouvez-vous me décrire ce jeune homme, mon brave Parker ?

— Il était petit et blond, monsieur; il était habillé d'un joli complet bleu; c'était un jeune homme très convenable. »

Poirot se tourna vers moi :

« L'homme que vous avez rencontré à la grille, docteur, était grand, n'est-ce pas ?

— Oui, répondis-je, il avait environ six pieds.

— Cela ne concorde en rien, déclara le détective, je vous remercie, Parker. »

Celui-ci s'adressa à Raymond :

« M. Hammond vient d'arriver, monsieur, dit-il,

il est fort désireux de savoir s'il pourrait se rendre utile et voudrait parler à monsieur.

— Je vais le voir tout de suite », répondit le jeune homme qui sortit précipitamment.

Poirot regarda le chef constable d'un air interrogateur.

« C'est l'avoué de la famille, dit Melrose.

— Ce jeune M. Raymond va être fort occupé, murmura Poirot; il paraît très au courant de ses fonctions.

— Je crois, en effet, que M. Ackroyd le considérait comme fort précieux.

— Depuis combien de temps est-il ici ?

— Juste deux ans.

— Je suis certain qu'il travaille consciencieusement. Par ailleurs, quelles sont ses distractions ? Fait-il du sport ?

— Les secrétaires particuliers n'ont pas beaucoup de loisirs, répondit le colonel Melrose en souriant; je crois que Raymond joue au golf et aussi au tennis en été.

— Va-t-il aux courses ?

— Non; je suppose qu'il n'y trouverait aucun plaisir. »

Poirot fit un signe de tête et parut se désintéresser de la question.

Son regard fit lentement le tour du cabinet de travail.

« Je crois avoir vu tout ce qu'il y avait à voir ici. »

Je regardai aussi autour de moi.

« Si ces murs pouvaient parler ! » murmurai-je.

Poirot secoua la tête.

« Il leur faudrait non seulement une langue, mais encore des yeux et des oreilles. Cependant ne croyez pas que ces objets (il effleurait en parlant le haut d'une petite bibliothèque) soient toujours muets; ils me parlent souvent; les chaises et les tables ont leur manière de s'exprimer. »

Il se dirigea vers la porte.

« Laquelle ? m'écriai-je. Que vous ont-elles appris aujourd'hui ? »

Il me jeta un regard moqueur par-dessus son épaule et dit :

« Une fenêtre ouverte, une porte fermée, une bergère qui a bougé toute seule, j'ai demandé « pourquoi » à ces trois objets et n'ai pas reçu de réponse. »

Il secoua la tête, se gonfla la poitrine et nous regarda en clignant des yeux. Il paraissait ridiculement infatué de lui-même et je me demandai s'il était véritablement aussi habile qu'on le disait. Sa grande réputation ne s'était-elle pas établie sur une série de hasards heureux ?

Je crois que le colonel Melrose dut avoir la même pensée, car il fronça les sourcils.

« Désirez-vous voir autre chose, monsieur Poirot ? demanda-t-il brusquement.

— Voudriez-vous avoir la bonté de me montrer la vitrine où l'arme a été prise ? Ensuite je n'abuserai pas davantage de votre complaisance. »

Nous nous dirigeâmes vers le salon, mais, en chemin, le constable arrêta le colonel et lui parla à voix basse, sur quoi Melrose nous laissa seuls, Poirot et moi. Je montrai la vitrine à mon voisin qui en souleva le couvercle une ou deux fois, puis ouvrit la porte-fenêtre et passa sur la terrasse. Je l'y suivis. L'inspecteur Raglan tournait justement le coin de la maison et se dirigeait vers nous. Son visage avait

revêtu une expression à la fois sévère et satisfaite.
« Ah ! vous voici, monsieur Poirot, dit-il. Cette affaire ne va pas être bien compliquée; j'en suis navré et je déplore de voir mal tourner un gentil garçon ! »

La figure de Poirot s'assombrit et il répondit doucement :

« Alors je crains de ne pas vous être très utile.

— Ce sera pour une autre fois, répondit l'inspecteur d'un ton encourageant, bien que, dans ce calme pays, nous n'ayons pas souvent à nous occuper de meurtres. »

Le regard de Poirot parut se nuancer d'admiration.

« Vous avez abouti avec une promptitude merveilleuse, observa-t-il. Puis-je vous demander quel procédé vous avez employé ?

— Certainement, répondit l'inspecteur. Pour commencer, il faut de la méthode; c'est ce que je proclame toujours : de la méthode !

— Ah ! s'écria son interlocuteur. C'est aussi ma devise. De la méthode, de l'ordre et puis la mise en action des petites cellules grises.

— Des cellules ? demanda l'inspecteur en le regardant avec surprise.

— Oui, les petites cellules grises du cerveau, expliqua Poirot.

— Ah ! oui; mais je suppose que nous nous en servons tous.

— A un degré plus ou moins grand, murmura Poirot. Il y a également des différences de qualité; puis, il y a la psychologie d'un crime qu'il faut étudier...

— Etes-vous donc imbu de toutes ces idées de psychanalyse ? demanda l'inspecteur. Moi qui suis un homme ordinaire...

— Je suis certain que Mme Raglan n'est pas de cet avis », dit Poirot en s'inclinant.

L'inspecteur Raglan, un peu déconcerté, lui rendit son salut et reprit avec un large sourire :

« Vous ne me comprenez pas. Quelle différence peuvent présenter les mêmes mots ! Je voulais vous expliquer comment je suis arrivé à un résultat. De la méthode tout d'abord : M. Ackroyd a été vu encore vivant, pour la dernière fois, à neuf heures quarante-cinq, par sa nièce, Miss Flora Ackroyd. C'est là un point, n'est-ce pas ?

— Si tel est votre avis...

— C'est mon avis. A dix heures trente, le docteur a déclaré que M. Ackroyd était mort depuis au moins une demi-heure; vous maintenez cette affirmation, docteur ?

— Certainement; une demi-heure au moins.

— Très bien. Cela nous donne, à un quart d'heure près, l'heure à laquelle le crime a été commis. J'ai fait une liste de toutes les personnes qui étaient dans la maison, en mettant en regard l'endroit où elles se trouvaient et leur occupation, entre neuf heures quarante-cinq et dix heures. » Il tendit à Poirot une feuille de papier que je lus par-dessus l'épaule du détective. Voici ce qui y était tracé d'une écriture nette :

Major Blunt : dans la salle de billard avec M. Raymond (confirmé par celui-ci).

M. Raymond : dans la salle de billard.

Mme Ackroyd : à 9 h 45, occupée à regarder le match de billard; est montée se coucher à 9 h 55, accompagnée jusqu'à l'escalier par Raymond et Blunt.

Miss Ackroyd : est allée directement du cabinet de son oncle au premier étage (confirmé par Parker et par la femme de chambre, Elsie Dale).

Domestiques :

Parker : est allé tout droit à l'office (confirmé par la gouvernante, Miss Russell, qui est descendue lui parler vers 9 h 47 et qui est restée avec lui environ dix minutes).

Miss Russell : voir ci-dessus. Causait au premier étage avec Elsie Dale à 9 h 45.

Ursula Bourne : femme de chambre. Dans sa chambre jusqu'à 9 h 55, puis dans la salle des domestiques.

Mme Cooper : cuisinière. Dans la salle des domestiques.

Glady Jones : 2 e femme de chambre. Dans la salle des domestiques.

Elsie Dale : à l'étage, dans les appartements privés (vue par Miss Russell et Miss Ackroyd).

Mary Thripp : fille de cuisine. Salle des domestiques.

La cuisinière est ici depuis sept ans. Ursula Bourne depuis dix-huit mois. Parker depuis un an. Les autres domestiques sont nouveaux, mais, à l'exception de Parker qui a une attitude bizarre, tous paraissent irréprochables.

« Voilà une liste fort bien faite », dit Poirot en la rendant à l'inspecteur; puis il ajouta : « Je suis absolument sûr que Parker n'est pas coupable.

— Ma sœur aussi, interrompis-je, et elle se trompe rarement. »

Mais ils ne firent pas attention à mes paroles.

« Mes constatations exonèrent assez complètement les personnes qui se trouvaient dans l'habitation, continua l'inspecteur, mais nous arrivons à un fait grave. La concierge du parc, Mary Black, fermait ses rideaux hier soir, lorsqu'elle vit Ralph Paton franchir la grille et se diriger vers la maison.

— En est-elle sûre ? demandai-je vivement.

— Tout à fait sûre, car elle le connaît bien. Il passa très vite et prit, à droite, le sentier qui conduit à la terrasse.

— Quelle heure était-il ? demanda Poirot dont le visage demeurait impassible.

— Exactement 9 h 25 », répondit gravement l'inspecteur.

Il y eut un silence, puis Raglan reprit la parole :

« Tout est limpide et s'explique aisément. A 9 h 25, le capitaine Paton est vu entrant dans le parc; à neuf heures et demie environ, M. Geoffroy Raymond entend quelqu'un demander à M. Ackroyd de l'argent et celui-ci refuser. Que se passe-t-il ensuite ? Le capitaine Paton est sorti comme il était entré, par la fenêtre, et s'est promené furieux et désappointé, le long de la terrasse. Il est arrivé à la porte-fenêtre du salon; il pouvait être dix heures moins un quart. Miss Flora Ackroyd était allée dire bonsoir à son oncle; le major Blunt, M. Raymond et Mme Ackroyd se trouvaient dans la salle de billard. Le salon était vide, Paton y est entré, a pris le poignard dans la vitrine et il est retourné jusqu'à la fenêtre du cabinet de travail. Il l'a escaladée, puis... je n'ai pas besoin d'entrer dans des détails. Ensuite, il est sorti, est parti, mais n'a pas eu le courage de retourner à l'auberge. Il s'est rendu à la gare et a téléphoné...

— Pourquoi ? » demanda doucement Poirot.

Je sursautai. Le petit homme se penchait en avant et ses yeux brillaient d'un étrange éclat.

Pendant un moment, l'inspecteur Raglan parut décontenancé; il répondit enfin :

« Il est difficile d'expliquer exactement la raison de cet acte; mais les assassins se conduisent parfois d'une manière si déconcertante ! Vous sauriez cela si vous étiez dans la police régulière; les plus habiles commettent souvent d'insignes maladresses. Venez avec moi, je vous montrerai les traces de pas du meurtrier. »

Nous le suivîmes le long de la terrasse jusqu'à la fenêtre du cabinet de travail. A la demande de Raglan, un constable lui donna les souliers trouvés à l'auberge du village. L'inspecteur les posa sur les empreintes.

« Ce sont les mêmes, dit-il avec certitude, ou plutôt ce n'est pas la paire qui a produit ces marques car Paton les avait sur lui; mais ce sont des chaussures identiques quoiqu'un peu plus vieilles... Voyez comme les talons sont usés.

— Mais il y a beaucoup de personnes qui portent des souliers munis de talons en caoutchouc ! déclara Poirot.

— Evidemment, dit l'inspecteur, et je n'attacherais pas grande importance à ces empreintes s'il n'y avait pas d'autres indices.

— Il faut que ce capitaine Paton soit bien léger pour avoir laissé tant de traces de son passage, dit pensivement Poirot.

— Que voulez-vous, répondit l'inspecteur, la soirée était belle et claire et on n'a relevé aucune marque, ni sur la terrasse, ni sur le sentier semé de gravier. Malheureusement pour lui, une source a dû jaillir récemment à l'extrémité du sentier. Regardez plutôt. »

Un petit chemin aboutissait à la terrasse un peu plus loin et, presque à l'endroit où il se terminait, le sol était boueux. Plusieurs traces de pas étaient visibles sur ce point, et parmi elles, on distinguait les marques des talons de caoutchouc.

Poirot suivit le sentier avec l'inspecteur.

« Avez-vous remarqué qu'il y a aussi des empreintes de femme ? » dit-il soudain.

Raglan se mit à rire.

« Naturellement, mais plusieurs personnes des deux sexes ont passé par là car c'est un chemin raccourci qui se dirige vers la maison et il serait impossible d'identifier toutes ces empreintes. D'ailleurs, les seules vraiment importantes sont celles de la fenêtre. » Poirot acquiesça.

« Inutile d'aller plus loin, déclara l'inspecteur, comme nous arrivions en vue de l'allée principale; il n'y a que du gravier ici et il est très dur. »

Poirot acquiesça encore, mais ses yeux étaient fixés sur une petite maison d'été, située un peu à gauche du sentier et à laquelle aboutissait un chemin également empierré. Il attendit que l'inspecteur nous eût quittés pour marcher vers l'habitation. Il me regarda :

« Vous avez dû m'être envoyé par le Ciel pour remplacer mon ami Hastings, dit-il, avec un éclair malicieux dans les yeux, car je remarque que vous ne me quittez pas. Que penseriez-vous d'une visite à ce pavillon ? Il m'intéresse. »

Poirot se dirigea vers la porte et l'ouvrit. Nous nous trouvâmes presque dans l'obscurité; il y avait un ou deux sièges rustiques, un jeu de croquet et quelques chaises pliantes.

L'attitude de mon nouvel ami me stupéfia. Il s'était laissé tomber sur le sol et l'explorait en marchant sur les mains et sur les genoux. De temps à autre, il secouait la tête, comme s'il était préoccupé et, enfin, il s'assit sur ses talons en murmurant : « Rien... peut-être fallait-il s'y attendre. Pourtant, cela aurait eu une telle importance ! »

Soudain, il s'arrêta, frémissant, étendit la main vers une des chaises rustiques et en détacha quelque chose.

« Qu'est-ce ? m'écriai-je. Qu'avez-vous découvert ? »

Il sourit et ouvrit la main, afin que je pusse voir ce qui s'y trouvait : c'était un morceau de toile blanche empesée. Je le pris, je regardai avec curiosité et le lui rendis.

« Que croyez-vous que ce soit, mon ami ? demanda-t-il, en me considérant d'un regard aigu.

— Un bout de mouchoir déchiré », suggérai-je, en haussant les épaules.

Mon compagnon fit un nouveau geste et ramassa une petite plume qui paraissait être une plume d'oie.

« Et ceci ? cria-t-il triomphalement. Qu'en pensez-vous ? » Je ne pus que le regarder, sans comprendre.

Il glissa la plume dans sa poche et examina encore le chiffon d'étoffe.

« Un morceau de mouchoir, marmotta-t-il, peut-être avez-vous raison; mais cependant rappelez-vous ceci : « *Une bonne blanchisseuse n'empèse jamais un mouchoir.* »

Il me fit un signe de tête triomphant et mit, avec soin, le morceau dans son calepin.

CHAPITRE IX

LE VIVIER AUX POISSONS ROUGES

Nous retournâmes ensemble vers la maison, mais n'aperçûmes pas l'inspecteur. Poirot s'arrêta sur la terrasse et, tournant le dos à l'habitation, regarda autour de lui.

« Une belle propriété, dit-il enfin; qui en hérite ? »

Ces paroles me frappèrent. Je ne sais pourquoi l'idée de l'héritage ne m'avait pas effleuré auparavant. Poirot me considéra avec attention.

« Vous n'y aviez pas encore pensé, n'est-ce pas ?

— Non, répondis-je sincèrement, et je le regrette. »

Il me regarda encore curieusement.

« Je me demande ce que vous entendez par là ? » dit-il, en paraissant réfléchir profondément, puis, comme j'allais répondre : « Ah ! non, inutile ! Vous n'exprimeriez pas votre idée véritable.

— « Tout le monde a quelque chose à cacher ! » citai-je en souriant.

— C'est exact.

— Vous le croyez toujours ?

— Plus que jamais, mon ami, mais il n'est pas facile de cacher quelque chose à Hercule Poirot, car il a l'habitude de tout découvrir. »

Tout en parlant, il descendit les marches qui conduisaient vers le jardin botanique.

« Marchons un peu, dit-il, la température est agréable aujourd'hui. »

Je le suivis et il prit, à gauche, un sentier bordé de buissons qui conduisait à un rond-point pavé où il y avait un banc, à côté d'un vivier, contenant des poissons rouges; mais, au lieu de suivre ce sentier jusqu'au bout, Poirot en prit un autre qui montait en lacets le long d'une pente boisée. Vers le milieu se trouvait une petite clairière d'où l'on découvrait le paysage et d'où le regard plongeait sur le rond-point pavé et le vivier.

« L'Angleterre est un très beau pays », dit Poirot en contemplant la vue qui s'étendait à ses pieds, puis, il sourit et ajouta d'un ton plus bas :

« Les jeunes filles anglaises aussi sont jolies. Chut, mon ami, regardez ce ravissant tableau, au-dessous de nous. »

Je jetai un coup d'œil dans la direction qu'il m'indiquait et j'aperçus Flora. Elle suivait le sentier que nous venions de quitter en fredonnant et elle marchait d'un pas rythmé. Malgré sa toilette noire, elle paraissait joyeuse et fit, soudain, une pirouette, puis, elle rejeta la tête en arrière et éclata de rire. Au même instant, un homme sortit de l'ombre des arbres, c'était Hector Blunt. La jeune fille tressaillit et l'expression de son visage se modifia quelque peu.

« Vous m'avez fait peur ! Je ne vous voyais pas ! »

Blunt ne répondit pas et la contempla, en silence, pendant quelques instants.

« Ce que j'aime en vous, dit Flora malicieusement, c'est votre brillante conversation. »

Je crus voir que Blunt rougissait sous son hâle. Lorsqu'il parla, sa voix avait pris un ton d'humilité qui ne lui était pas habituel.

« Je n'ai jamais été très bavard, même quand j'étais jeune.

— Il y a très longtemps de cela, je suppose », dit Flora gravement. Je saisis la note moqueuse de sa voix, mais je ne crois pas qu'il en fût de même pour Blunt.

« Oui, répondit-il simplement, très longtemps.

— Quelle impression a-t-on lorsqu'on se sent vieux comme Mathusalem ? » demanda Flora.

Cette fois le persiflage était plus sensible, mais Blunt suivait son idée.

« Vous rappelez-vous l'homme qui vendit son âme au diable, en échange de la jeunesse ? On en a fait un opéra.

— *Faust ?*

— Oui. Histoire merveilleuse. Beaucoup d'entre nous agiraient ainsi s'ils le pouvaient.

— Si l'on vous entendait, on croirait que vous êtes un vieillard ! » s'écria Flora mi-vexée, mi-amusée.

Blunt ne répondit pas pendant quelques minutes, puis il détourna son regard de la jeune fille et dit, comme s'il s'adressait à l'un des arbres qui étaient auprès de lui, qu'il était temps qu'il retournât en Afrique.

« Allez-vous partir de nouveau pour la chasse ?

— Je le suppose; c'est à cela que je passe la plus grande partie de ma vie... la chasse.

— C'est vous qui avez tué l'animal dont la tête est dans le vestibule, n'est-ce pas ? »

Blunt fit un signe affirmatif, puis il dit d'un ton hésitant et en rougissant :

« Aimeriez-vous recevoir quelques belles peaux ? Si cela vous faisait plaisir, je pourrais vous en procurer.

— Oh ! certainement, s'écria Flora, vraiment vous m'en enverrez, vous n'oublierez pas ?

— Je n'oublierai pas », dit Hector Blunt. Puis il ajouta, en un soudain accès de confiance : « Il est temps que je m'en aille; je ne suis pas bon pour ce genre d'existence, je n'en ai pas l'habitude, je suis un sauvage, je ne suis pas un mondain; jamais je ne sais dire les choses qu'on attend de moi.

— Mais vous ne partirez pas tout de suite, s'écria Flora. Pas, pas... pendant que nous avons tous ces ennuis. Oh ! je vous en prie ! Si vous partez... »

Elle se détourna légèrement.

« Vous voulez que je reste ? » demanda Blunt.

Il parlait d'un ton délibéré, mais simplement.

« Nous le voudrions tous.

— Mais vous, personnellement ? » demanda Blunt nettement.

Flora se retourna lentement et leurs yeux se croisèrent :

« Si... si cela fait une différence pour vous, je désire que vous restiez.

— Cela fait une énorme différence », répondit le major.

Il y eut un moment de silence. Ils s'assirent sur le siège de pierre, près du vivier, et il semblait qu'aucun d'eux ne sût exactement ce qu'il devait dire.

« Il... il fait si beau, dit enfin Flora. Voyez-vous, je ne puis m'empêcher de me sentir heureuse, malgré... malgré tout. C'est horrible, n'est-ce pas ?

— C'est tout naturel, répondit Blunt; vous n'aviez jamais vu votre oncle avant de venir ici, il y a deux ans, n'est-ce pas ? Vous ne pouvez pas avoir un gros chagrin et mieux vaut ne pas jouer la comédie.

— Il y a en vous quelque chose de très apaisant, dit Flora, vous rendez tout si simple.

— Les choses sont simples, en général, dit le chasseur de gros gibier.

— Pas toujours », répondit Flora.

Elle avait baissé la voix; je vis Blunt se retourner et la contempler un instant; son regard avait absolument l'air de revenir de la côte d'Afrique. Il interpréta évidemment à sa manière le changement de ton de Flora car il dit, un peu brusquement, au bout d'une minute ou deux :

« Ne vous tourmentez pas, je vous prie; je veux dire au sujet de ce jeune homme. Cet inspecteur est un âne. Tout le monde sait qu'il est absolument impossible que Paton ait fait cela. C'est l'œuvre d'un cambrioleur venu du dehors. Voilà l'unique solution possible. »

Flora se tourna vers lui :

« Est-ce vraiment votre opinion ?

— N'est-ce pas la vôtre ? dit vivement Blunt.

— Je... e veux vous dire pourquoi je me sentais heureuse ce matin. Vous allez me juger sans cœur, mais je préfère que vous sachiez ce que je pense. M. Hammond, l'avoué, est venu et nous a parlé du testament. Oncle Roger m'a légué vingt mille livres. Songez-y ! Vingt mille magnifiques livres ! »

Blunt parut étonné :

« Cela a-t-il donc tant d'importance à vos yeux ?

— Tant d'importance ! Mais cela représente tout pour moi : la liberté, la vie; plus de calculs, d'économies, de mensonges...

— De mensonges ? » interrompit vivement Blunt.

Flora parut, un instant, déconcertée.

« Vous savez ce que j'entends par là, reprit-elle, en hésitant. Je parle de la reconnaissance apparente qu'il faut témoigner à des parents riches pour les vieilleries qu'ils vous donnent : les robes et les chapeaux de l'année dernière, par exemple.

— Je ne m'y connais pas beaucoup en matière de toilette, mais il me semble que vous êtes toujours très bien habillée.

— Cela me coûte assez cher ! dit Flora à voix basse. Mais ne parlons pas de ces choses pénibles. Je suis si heureuse, je suis libre, libre de faire ce que je veux, libre de ne pas... »

Elle s'arrêta brusquement.

« De ne pas... quoi ? demanda vivement le major.

— J'ai maintenant oublié... rien d'important. »

Blunt tenait une canne à la main; il s'en servit pour atteindre quelque chose dans le vivier.

« Que faites-vous donc, major ?

— Il y a un objet brillant là-dedans et je me demandais ce que c'était; cela ressemble à une broche en or; mais, à présent, j'ai remué la boue et je ne le vois plus.

— C'est peut-être une bague, suggéra Flora, comme celle que Mélisande plonge dans l'eau.

— Mélisande ! dit Blunt après réflexion. C'est un personnage d'opéra, n'est-ce pas ?

— Oui... mais comme vous paraissez bien connaître les opéras !

— Mes amis m'y emmènent quelquefois, répondit le major avec un air de résignation. C'est une étrange distraction; on y entend plus de bruit que n'en font les indigènes avec leurs tam-tams. »

Flora se mit à rire.

« Je me rappelle Mélisande, continua Blunt, elle avait épousé un homme assez âgé pour être son père. »

Il jeta une petite pierre dans le vivier, puis, changeant d'attitude, il se tourna vers Flora :

« Puis-je faire quelque chose, Miss Ackroyd ?... je veux dire quelque chose au sujet de Paton. Je me rends compte à quel point vous devez être inquiète.

— Merci, dit Flora d'une voix froide. Il n'y a vraiment rien à faire. Tout ira bien pour Ralph. J'ai mis la main sur le plus merveilleux détective du monde qui va tout découvrir. »

Depuis un moment, je me sentais mal à l'aise. A proprement parler, nous ne nous dissimulions pas pour écouter, puisque les deux personnes qui parlaient au-dessous de nous, dans le jardin, n'auraient eu qu'à lever la tête pour nous voir. Cependant je les aurais averties déjà que nous étions là si mon compagnon ne m'avait pas serré le bras d'une manière significative. Il désirait évidemment me voir garder le silence; mais soudain il se leva vivement et toussa.

« Pardon, s'écria-t-il, je ne puis permettre à mademoiselle de me faire des compliments exagérés sans attirer son attention sur ma présence ici. On prétend que ceux qui écoutent n'entendent jamais dire du bien d'eux, mais cette fois, ce n'est pas exact; pour ne pas avoir à rougir, je vais vous rejoindre et m'excuser. »

Il descendit rapidement le sentier, suivi de près par moi.

« Voici M. Hercule Poirot, dit Flora, je pense que vous avez entendu parler de lui. »

Poirot s'inclina.

« Je connais le major Blunt de réputation, dit-il poliment; je suis ravi de vous avoir rencontré, monsieur, car j'ai besoin de quelques renseignements que vous pourrez, sans doute, me donner. »

Blunt le regarda d'un air interrogateur.

« Quand avez-vous vu M. Ackroyd vivant pour la dernière fois ?

— Au dîner.

— Et vous ne l'avez plus revu, ni entendu, ensuite ?

— Je ne l'ai plus revu, mais j'ai entendu sa voix.

— Comment cela ?

— Je me promenais sur la terrasse...

— Veuillez m'excuser, quelle heure était-il ?

— Environ neuf heures et demie; je marchais de long en large, en fumant devant la porte-fenêtre du salon et j'ai entendu Ackroyd parler de son cabinet. »

Poirot se baissa et arracha un brin d'herbe minuscule.

« Vous ne pouviez sûrement pas, de cet endroit de la terrasse, entendre ce qui se passait dans le cabinet », murmura-t-il.

Il ne regardait pas Blunt, mais, moi, j'avais les yeux fixés sur lui, et, à ma grande surprise, je le vis rougir.

« Je suis allé jusqu'au coin de la maison, déclara-t-il, comme à regret.

— Ah ! vraiment, dit Poirot, dont le ton indiquait clairement qu'il attendait une autre explication.

— J'avais cru voir... une femme disparaître dans les buissons... j'avais vu simplement un objet blanc, j'ai dû me tromper. C'est pendant que je me trouvais à l'extrémité de la terrasse que j'ai entendu la voix d'Ackroyd qui parlait à son secrétaire.

— A M. Raymond ?

— Oui, du moins, c'est ce que j'ai cru, à ce moment-là. Il paraît que ce n'était pas exact.

— M. Ackroyd l'appelait-il par son nom ?

— Je ne l'ai pas entendu.

— Alors puis-je vous demander ce qui vous a fait supposer... »

Blunt expliqua laborieusement :

« J'ai pensé que ce devait être Raymond, parce qu'il avait dit juste avant que je sorte qu'il allait porter des papiers dans le cabinet de M. Ackroyd. Je n'ai pas songé un instant que ce pouvait être quelqu'un d'autre.

— Pouvez-vous vous rappeler les paroles qu'il prononçait.

— Je ne crois pas; elles étaient tout à fait banales. Je n'en ai d'ailleurs saisi que des bribes, car je pensais à autre chose.

— Cela n'a pas d'importance, murmura Poirot. Avez-vous remis un fauteuil contre le mur quand vous êtes allé dans le cabinet, après la découverte du cadavre ?

— Un fauteuil ?... Non. Pourquoi l'aurais-je fait ? »

Poirot haussa les épaules, mais ne répondit pas. Il se tourna vers Flora :

« Il y a autre chose que je voudrais apprendre par vous, mademoiselle. Lorsque vous examiniez les objets contenus dans la vitrine, en compagnie du docteur Sheppard, le poignard s'y trouvait-il ? »

La jeune fille releva la tête d'un air hautain.

« L'inspecteur Raglan m'a déjà posé cette question, dit-elle, je lui ai répondu et je vous réponds de même : je suis absolument *certaine* que le poignard n'y était pas. Il pense qu'il s'y trouvait puisque Ralph l'a enlevé plus tard dans la soirée et... il ne me croit pas ! Il suppose que je parle ainsi.. pour protéger Ralph.

— N'est-ce pas exact ? » demandai-je gravement.

Flora frappa du pied.

« Vous aussi, docteur Sheppard ! Oh ! c'est trop fort ! »

Poirot fit diversion avec tact.

« Ce que je vous ai entendu dire, major Blunt, est exact; il y a, dans ce vivier, un objet brillant; voyons si je puis l'attraper. »

Il s'agenouilla près du petit étang, retroussa sa manche jusqu'au coude et enfonça lentement son bras dans l'eau, de manière à ne pas la troubler. Mais, en dépit de toutes ses précautions, la vase monta à la surface et le détective fut obligé de retirer sa main vide.

Il regarda avec dégoût la boue qui couvrait son bras; je lui offris mon mouchoir qu'il accepta en me remerciant chaleureusement.

Blunt tira sa montre.

« Il est l'heure du déjeuner, dit-il, nous ferons bien de regagner la maison.

— Vous déjeunez avec nous, monsieur Poirot ? demanda Flora. Je voudrais que vous fissiez la connaissance de ma mère. Elle... elle aime beaucoup Ralph. »

Le petit homme s'inclina :

« Je serai ravi, mademoiselle.

— Vous restez aussi, n'est-ce pas, docteur ? »

J'hésitai.

« Oh ! Je vous en prie ! »

Je désirais rester, aussi acceptai-je l'invitation sans plus de cérémonie. Nous nous dirigeâmes vers la maison. Flora et le major marchaient en avant.

« Quels magnifiques cheveux ! me dit Poirot à voix basse, en désignant la jeune fille. De l'or ! Ils formeront un superbe couple. Elle et le beau capitaine Paton, si brun. Ne trouvez-vous pas ? »

Je le regardai d'un œil interrogateur, mais il commença à s'inquiéter au sujet de quelques minuscules gouttelettes d'eau, tombées sur sa manche. Cet homme me faisait penser à un chat. Il en avait les yeux verts et les gestes méticuleux.

« Vous vous êtes sali pour rien, lui dis-je avec sympathie. Je me demande ce qui est tombé dans le vivier.

— Voulez-vous le voir ? »

Je parus surpris. Il fit un signe affirmatif et me dit, comme s'il formulait un reproche :

« Mon bon ami, Hercule Poirot ne risque pas de tacher ses vêtements sans être sûr de trouver ce qu'il cherche. Agir autrement serait à la fois ridicule et absurde; or, je ne suis jamais ridicule.

— Mais votre main était vide lorsqu'elle est sortie de l'eau, objectai-je.

— Il y a des moments où il faut savoir être discret. Dites-vous à vos clients tout ce que vous constatez, docteur ? Je ne le pense pas. Pas plus que vous ne racontez tout à votre excellente sœur, j'en suis certain. Avant de laisser voir ma main vide, j'avais fait tomber dans mon autre main ce que j'avais saisi. Vous allez voir ce que c'était. »

Il ouvrit sa main gauche, sur la paume de laquelle reposait un petit cercle d'or... une alliance de femme. Je la pris.

« Regardez à l'intérieur », ordonna Poirot.

J'obéis. L'inscription suivante était gravée dans la bague : « Donné par R. 13 mars. »

Je regardai Poirot. Celui-ci était fort occupé à contempler son visage dans une petite glace de poche; il accordait une attention particulière à ses moustaches, mais aucune à moi et je vis qu'il n'était pas disposé à se montrer plus communicatif.

CHAPITRE X

LA FEMME DE CHAMBRE

Nous trouvâmes Mme Ackroyd dans le hall en compagnie d'un petit homme sec, au menton pointu et aux yeux gris aigus, qui avait l'aspect d'un homme de loi.

« M. Hammond déjeune avec nous, dit Mme Ackroyd. Vous connaissez le major Blunt, n'est-ce pas, et aussi notre cher docteur Sheppard, qui était un autre ami intime du pauvre Roger ? Puis... »

Elle s'arrêta et regarda Hercule Poirot avec perplexité.

« C'est M. Poirot, maman, dit Flora, je vous ai parlé de lui ce matin.

— En effet, répondit Mme Ackroyd en hésitant, il est chargé de retrouver Ralph, n'est-ce pas ?

— Il est chargé de découvrir qui a tué mon oncle, dit Flora.

— Oh ! ma chérie ! s'écria la mère. Je t'en prie ! Mes pauvres nerfs ! Je suis anéantie ! C'est une chose si horrible ! Je ne puis m'empêcher de croire qu'il s'est agi d'un accident. Roger adorait manier des objets extraordinaires. Sa main a dû glisser... »

Ces mots furent accueillis par un silence poli. Je vis Poirot s'approcher de l'avoué et lui parler d'un ton confidentiel, puis tous deux s'enfoncèrent dans l'embrasure d'une fenêtre. Je m'approchai, puis hésitai...

« Peut-être suis-je indiscret ? demandai-je.

— Pas du tout, s'écria chaleureusement Poirot, nous suivons cette affaire ensemble, monsieur le docteur; sans vous, je serais dans l'obscurité. Je désire seulement demander quelques renseignements à l'excellent M. Hammond.

— Vous agissez, je crois, pour le compte du capitaine Ralph Paton ? » demanda l'avoué avec précaution.

Poirot secoua la tête.

« Pas du tout. J'agis dans l'intérêt de la vérité. Miss Ackroyd m'a demandé de faire une enquête au sujet de la mort de son oncle. »

M. Hammond parut quelque peu déconcerté.

« Je ne puis sérieusement penser que le capitaine Paton soit mêlé à ce crime, dit-il, si fortes que soient les charges contre lui. Le simple fait qu'il avait besoin d'argent...

— Avait-il besoin d'argent ? » interrompit vivement Poirot.

L'avoué haussa les épaules :

« C'est un état chronique chez Ralph Paton, dit-il sèchement. L'argent glisse entre ses doigts comme de l'eau et il en demandait sans cesse à son beau-père.

— Lui en avait-il demandé récemment ? Au cours de la dernière année, par exemple ?

— Je ne puis vous répondre, car M. Ackroyd ne m'en a pas parlé.

— Je comprends. Je suppose, monsieur, que vous connaissiez les termes du testament de M. Ackroyd ?

— Certainement et c'est pourquoi je suis ici aujourd'hui.

— Donc, puisque je représente les intérêts de Miss Ackroyd, vous ne verrez pas d'inconvénients à me communiquer les clauses de ce testament ?

— Elles sont fort simples. La phraséologie légale mise à part, après avoir stipulé quelques legs...

— Tels que ?... » interrompit Poirot.

M. Hammond parut un peu étonné.

« Mille livres à sa gouvernante, Miss Russell; cinquante livres à la cuisinière, Emma Cooper; cinq cents livres à son secrétaire, M. Geoffroy Raymond. Puis à divers hôpitaux... »

Poirot leva la main :

« Les legs de charité ne m'intéressent pas.

— Fort bien. La rente d'un capital de dix mille livres devra être payée à Mme Cyrille Ackroyd. Miss Flora Ackroyd bénéficie de vingt mille livres net. Le reste, y compris cette propriété et les capitaux investis dans la maison Ackroyd et fils, est légué au fils adoptif de M. Ackroyd, Ralph Paton.

— Le défunt possédait une grosse fortune.

— Une très grosse fortune. Le capitaine Paton sera fort riche. »

Il y eut un silence. Poirot et l'avoué se regardèrent.

« Monsieur Hammond ! » appela d'une voix larmoyante Mme Ackroyd.

L'homme de loi se dirigea vers elle. Le détective prit mon bras et m'entraîna tout contre la fenêtre.

« Regardons les iris, déclara-t-il à haute voix, ne sont-ils pas magnifiques ? »

Je sentis en même temps sa main presser mon bras et il ajouta très bas :

« Voulez-vous m'aider à faire cette enquête ?

— Certainement, dis-je avec élan. Rien ne peut m'être plus agréable. Vous ne savez pas quelle existence de fossile je mène ici ! Il ne se passe jamais rien d'intéressant.

— Très bien; alors nous travaillerons ensemble. Je crois que le major Blunt va venir nous rejoindre dans un instant, car il s'ennuie avec la bonne dame. Or, je désire apprendre certaines choses, mais sans en avoir l'air. Comprenez-vous ? Je vous laisse donc le soin de poser les questions.

— Quelles questions désirez-vous que je pose ? demandai-je non sans appréhension.

— Je veux que vous introduisiez dans la conversation le nom de Mme Ferrars.

— Comment cela ?

— Parlez d'elle d'une manière naturelle. Demandez au major s'il était ici lorsque son mari est mort. Vous voyez ce que je veux dire et, pendant qu'il vous répondra, surveillez, sans en avoir l'air, l'expression de sa figure. Saisissez-vous ? »

Mais, il ne put en dire davantage, car, ainsi qu'il l'avait prévu, Blunt quitta, avec sa brusquerie ordinaire, l'autre groupe et s'avança vers nous.

Je suggérai une promenade sur la terrasse et il accepta. Poirot demeura en arrière. Je m'arrêtai pour admirer une rose.

« Comme tout peut changer en l'espace de quelques jours ! observai-je. Je me rappelle m'être promené sur cette même terrasse, mercredi dernier, avec Ackroyd qui était plein d'entrain. Et maintenant... trois jours plus tard, le pauvre garçon est mort !

Mme Ferrars est morte ! Vous l'avez connue, bien entendu ? »

Blunt fit un signe affirmatif.

« L'aviez-vous rencontrée depuis que vous êtes arrivé ?

— Je suis allé lui faire une visite, avec Ackroyd, mardi dernier, je crois. Femme séduisante, mais étrange. Profonde... on ne savait jamais à quoi elle pensait. »

Je regardai droit dans ses calmes yeux gris. Ils ne contenaient sûrement rien de mystérieux. Je continuai :

« Je suppose que vous l'aviez vue auparavant ?

— La dernière fois que je suis venu, elle et son mari venaient de s'installer dans ce pays. » Il s'arrêta un moment, puis reprit : « Elle avait beaucoup changé depuis lors.

— Comment changé ?

— Elle paraissait de dix ans plus vieille.

— Etiez-vous ici quand son mari est mort ? » Je posai la question du ton le plus naturel possible.

« Non. D'après ce que j'ai entendu dire, c'était un bon débarras pour elle. Il n'est sans doute guère charitable de parler ainsi, mais c'est la vérité. »

J'approuvai : « Ashley Ferrars n'était certainement pas le modèle des maris, dis-je avec réserve.

— Un chenapan, déclara le major.

— Pas tout à fait. Un homme seulement qui avait plus d'argent qu'il ne lui en fallait.

— Oh ! l'argent ! Tous les tourments de la terre viennent de là... ou de son absence !

— Quel ennui vous a-t-il donc causé ? demandai-je.

— J'ai une fortune suffisante pour mes besoins et je suis parmi les heureux.

— Vraiment ?

— Cependant, en ce moment, je suis un peu démuni. J'ai fait un héritage il y a un an et, comme un imbécile, je me suis laissé entraîner à spéculer... »

Je lui exprimai ma sympathie et lui racontai ma propre mésaventure. Puis le gong résonna et nous rentrâmes. Poirot me prit à l'écart.

« Eh bien ?

— Tout est normal en lui, répondis-je, j'en suis sûr.

— Rien d'inquiétant ?

— Il a fait un héritage, il y a un an. Mais qu'y a-t-il là d'extraordinaire ? Je jurerais que cet homme est au-dessus de tout soupçon.

— Certainement, certainement, dit Poirot, ne vous agitez pas. »

Il me parlait absolument comme à un enfant peureux.

Nous pénétrâmes tous dans la salle à manger. Il paraissait invraisemblable que moins de vingt-quatre heures se fussent écoulées depuis que je m'étais assis pour la dernière fois à cette même table. Après le déjeuner, Mme Ackroyd me fit prendre place sur un canapé à côté d'elle.

« Je ne puis m'empêcher de me sentir un peu peinée, murmura-t-elle en exhibant un de ces mouchoirs qui ne sont manifestement pas faits pour être utilisés, peinée par le manque de confiance que m'a témoigné Roger. Ces vingt mille livres auraient dû m'être léguées à moi et non pas à Flora. Une mère ne peut pas être suspectée de ne pas sauvegarder les intérêts de son enfant. Je vous assure que je considère cela comme une injure.

— Vous oubliez, madame, que Flora était la propre nièce d'Ackroyd et qu'elle lui était donc unie par le sang. Les choses eussent été différentes si vous aviez été sa sœur au lieu d'être sa belle-sœur.

— Du moment que j'étais la veuve du pauvre Cyrille, je trouve qu'il aurait dû ménager mes sentiments, déclara Mme Ackroyd en effleurant ses yeux de son mouchoir. Mais Roger a toujours été très attentif... pour ne pas dire avare, lorsqu'il s'est agi de questions d'intérêt. Notre situation, à Flora et à moi, était fort délicate; il ne donnait même pas une rente à la pauvre enfant. Il payait ses notes, mais en rechignant, et il lui demandait sans cesse pourquoi elle avait besoin de tant de falbalas ! C'était bien là une idée masculine !... Mais... que voulais-je dire ? Ah ! oui ! Nous n'avions pas un centime qui nous appartînt en propre. Flora en était froissée... Je puis bien le dire... très froissée. Elle aimait évidemment beaucoup son oncle; mais n'importe quelle jeune fille se fût sentie humiliée. Il est certain que Roger avait d'étranges idées sur les questions pécuniaires. Il ne voulait même pas acheter des serviettes neuves, bien que je l'aie averti maintes fois que les vieilles étaient en loques. Et dire... continua Mme Ackroyd, en changeant soudain d'idée, ce qui lui était fort habituel, qu'il a laissé une pareille somme... mille livres... comprenez-vous, mille livres ! à cette femme !

— Quelle femme ?

— Miss Russell. J'ai toujours affirmé qu'il y avait, en elle, quelque chose de bizarre. Mais Roger ne voulait pas m'écouter. Il prétendait que c'était une femme qui avait beaucoup de force de caractère et déclarait l'admirer et la respecter. Il parlait sans cesse de sa rectitude de jugement, de son désintéressement, de sa valeur morale. Je crois qu'elle aurait bien voulu l'épouser, mais j'y ai mis bon ordre. Elle m'a toujours détestée, naturellement, car je l'avais percée à jour. »

Je commençais à me demander si j'avais une chance quelconque d'endiguer l'éloquence de Mme Ackroyd et de m'en aller. M. Hammond me la fournit en venant prendre congé; je saisis l'occasion et me levai.

« Où préférez-vous que se fasse l'enquête ? demandai-je, ici ou aux « Trois Dindons » ? »

Mme Ackroyd me regarda avec consternation.

« L'enquête ! s'écria-t-elle. Y aura-t-il donc une enquête ? »

M. Hammond eut une petite toux sèche et murmura :

« Elle est inévitable étant donné les circonstances.

— Mais le docteur Sheppard ne peut-il pas arranger cela ?

— Mes pouvoirs sont limités, dis-je brièvement.

— Si la mort est due à un accident...

— Il a été assassiné, madame », déclarai-je brutalement.

Mme Ackroyd jeta un léger cri.

« L'idée d'un accident est absolument invraisemblable. »

Elle me regarda, désolée; mais je n'avais aucune pitié pour ce que je croyais n'être chez elle que la peur des ennuis.

« S'il y a une enquête, me... me faudra-t-il répondre à des questions ? demanda-t-elle.

— Je ne sais pas si ce sera nécessaire. Je pense que M. Raymond vous évitera d'avoir à le faire, car il est parfaitement au courant et peut déposer. »

L'avoué fit un signe d'assentiment.

« Je ne crois vraiment pas que vous ayez quelque chose à craindre, madame, déclara-t-il, vos sentiments seront ménagés. En ce qui concerne les questions pécuniaires, avez-vous tout ce qui vous est nécessaire pour le moment ?... Je veux dire en argent liquide ? ajouta-t-il, car elle le regardait sans comprendre. S'il en est autrement, je puis vous en procurer.

— Il doit y avoir ici une somme suffisante, dit Raymond qui se tenait debout près de nous, car M. Ackroyd a fait toucher hier un chèque de cent livres.

— Cent livres ?

— Oui; elles étaient destinées à payer des gages et diverses notes qui venaient à échéance aujourd'hui. Cette somme est toujours intacte.

— Où se trouve-t-elle ? Dans son bureau ?

— Non; il gardait toujours son argent dans sa chambre, dans une vieille boîte à faux-cols. Idée bizarre, n'est-ce pas ?

— Je crois, insista l'avoué, que nous devrions, avant mon départ, nous assurer que cette somme est encore entière.

— Certainement, répondit le secrétaire, je vais vous conduire... Ah ! j'oubliais ! La porte est fermée ! »

Parker, interrogé, nous apprit que l'inspecteur Raglan se trouvait dans la partie de la maison réservée aux domestiques, où il se livrait à une nouvelle enquête. Peu d'instants après, il nous rejoignit, dans le hall, porteur de la clef désirée, et nous ouvrit

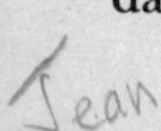

la porte. Nous montâmes le petit escalier à l'extrémité duquel nous trouvâmes la porte de la chambre à coucher d'Ackroyd ouverte.

La pièce était obscure, car les rideaux étaient tirés et le lit était resté préparé, comme il l'était la veille au soir.

L'inspecteur tira les rideaux pour laisser entrer le soleil et Geoffroy Raymond se dirigea vers un bureau en bois de rose dont il ouvrit le tiroir supérieur.

« Comment ? M. Ackroyd gardait son argent dans un meuble qui ne fermait pas ? » dit l'inspecteur.

Le secrétaire rougit légèrement.

« M. Ackroyd avait absolument confiance dans la probité de tous ses domestiques, s'écria-t-il avec chaleur.

— Oh ! certainement », répliqua vivement l'inspecteur.

Raymond acheva d'ouvrir le tiroir et y prit une boîte ronde en cuir, dont il enleva un épais portefeuille.

« Voici la somme, déclara-t-il en saisissant une liasse de billets de banque. Je suis certain qu'elle est intacte, car M. Ackroyd l'a mise, en ma présence, dans cette boîte, hier soir, pendant qu'il s'habillait pour le dîner, et bien entendu, personne n'y a touché depuis. »

M. Hammond prit la liasse et compta les billets, puis il leva brusquement la tête :

« Cent livres, avez-vous dit ? Il n'y en a que soixante ! »

Raymond le regarda stupéfait.

« Impossible ! » s'écria-t-il en se précipitant vers

l'avoué, auquel il arracha les billets qu'il recompta à haute voix.

M. Hammond avait raison; le total se montait à soixante livres.

« Mais... je ne comprends pas ! » balbutia le jeune secrétaire.

Poirot intervint alors :

« Vous avez vu M. Ackroyd ranger cette somme, hier soir, pendant qu'il s'habillait pour le dîner ? Etes-vous sûr qu'il n'avait rien payé auparavant ?

— Absolument sûr, il a même dit : « Je ne veux « pas garder cent livres sur moi, c'est trop encom- « brant ! »

— Alors, la chose est simple, déclara Poirot, ou bien il a payé une somme de quarante livres, hier soir, ou elle a été volée !

— Parfaitement juste », opina l'inspecteur qui ajouta en se tournant vers Mme Ackroyd : « Quels sont ceux des domestiques qui ont pu entrer, hier soir, dans cette pièce ?

— Je suppose que la seconde femme de chambre a dû venir faire la couverture.

— Qui est-ce ? Quels renseignements avez-vous sur elle ?

— Elle n'est pas ici depuis très longtemps, répondit Mme Ackroyd, mais c'est une brave fille de la campagne.

— Il nous faut élucider cette question, déclara l'inspecteur. Si M. Ackroyd a remis lui-même ces quarante livres à quelqu'un, il se peut que cela ne soit pas sans rapport avec le crime. Les autres domestiques sont-ils honnêtes ?

— Oh ! je crois pouvoir l'affirmer !

— N'a-t-il jamais rien manqué auparavant ?

— Non.
— Aucun d'eux ne s'en va ?
— Si; la femme de chambre qui s'occupe de l'office a donné congé.
— Quand ?
— Hier, il me semble.
— C'est à vous qu'elle l'a donné ?
— Oh ! non ! Moi je n'ai rien à voir avec les domestiques. C'est Miss Russell qui s'occupe de la maison. »

L'inspecteur réfléchit pendant quelques minutes, puis il hocha la tête et dit :

« Je crois que je ferai bien de causer un instant avec Miss Russell et aussi avec les filles de service. »

Poirot et moi l'accompagnâmes auprès de la gouvernante qui nous reçut avec son sang-froid habituel.

Elle nous apprit qu'Elsie Dale était à Fernly depuis cinq mois et que c'était une gentille enfant consciencieuse et fort honnête. Elle avait d'excellentes références et ce serait la dernière personne au monde à prendre ce qui ne lui appartenait pas.

« Et celle qui va partir ?
— C'est une jeune fille fort au-dessus de sa condition, tranquille et distinguée, et qui travaille à merveille.
— Alors, pourquoi s'en va-t-elle ? »

Miss Russell pinça les lèvres.

« Je n'y suis pour rien. Je crois que M. Ackroyd lui a fait des observations, hier. Elle rangeait son cabinet de travail et a touché, paraît-il, à certains papiers qui se trouvaient sur son bureau. C'est du moins ce que j'ai compris d'après ses explications, mais peut-être voudriez-vous lui parler vous-même ? »

L'inspecteur répondit affirmativement.

J'avais remarqué la jeune fille pendant qu'elle servait à table. Elle était grande, avait d'épais cheveux bruns bien serrés sur la nuque et de beaux yeux gris. Elle répondit à l'appel de Miss Russell et se tint debout, fort droite, fixant sur nous son calme regard.

« Vous vous nommez Ursula Bourne ? demanda l'inspecteur.

— Oui, monsieur.

— J'apprends que vous partez ?

— Oui, monsieur.

— Pourquoi ?

— J'ai dérangé des papiers qui étaient sur le bureau de M. Ackroyd. Il s'est mis fort en colère et m'a dit que je ferais mieux de quitter son service aussitôt que possible.

— Etes-vous allée, hier soir, dans la chambre de M. Ackroyd, pour mettre en ordre ?

— Non, monsieur, c'est Elsie qui en est chargée; je ne vais jamais dans cette partie de la maison.

— Je dois vous dire, ma petite, qu'une grosse somme d'argent a disparu de la chambre de M. Ackroyd. »

Cette fois, la jeune fille s'émut et rougit.

« Je ne sais rien à ce sujet. Si vous croyez que je l'ai prise et que M. Ackroyd m'a renvoyée pour cette raison, vous êtes dans l'erreur.

— Je ne vous accuse pas de l'avoir volée, reprit l'inspecteur, ne vous fâchez pas. »

La femme de chambre le regarda froidement et dit dédaigneusement :

« Vous pouvez fouiller mes malles, vous ne trouverez rien. »

Poirot s'interposa :

« C'est hier après-midi que M. Ackroyd vous a renvoyée... ou que vous lui avez donné congé, n'est-ce pas ?

— Oui, répondit la jeune fille.

— Combien de temps dura votre entretien ?

— Notre entretien ?

— Oui, la conversation que vous eûtes avec M. Ackroyd dans son cabinet ?

— Je... je ne sais pas.

— Vingt minutes, une demi-heure ?

— A peu près.

— Pas davantage ?

— Pas plus d'une demi-heure, certainement.

— Merci, mademoiselle. »

Je le regardai avec attention; il redressait avec soin divers bibelots sur la table et ses yeux brillaient.

« C'est bon », dit l'inspecteur.

Ursula Bourne sortit. Raglan se tourna vers Miss Russell.

« Depuis quand est-elle ici ? Avez-vous des renseignements qui vous ont été donnés à son sujet ? »

Sans répondre à la première question, Miss Russell se dirigea vers un petit bureau, ouvrit un tiroir et y prit un paquet de lettres attachées ensemble. Elle en choisit une et la tendit à l'inspecteur.

« Hum ! dit-il, cela paraît très bien. Mme Richard Folliott de Marby Grange; qui est cette dame ?

— Elle appartient à une bonne famille du comté, déclara Miss Russell.

— Bon ! reprit l'inspecteur en lui rendant la lettre. Interrogeons l'autre maintenant, Elsie Dale. »

Elsie Dale était une jeune fille blonde, au visage agréable, mais peu intelligent. Elle répondit volontiers aux questions qui lui furent posées et se montra désolée lorsqu'on lui annonça la disparition de la somme.

« Je ne crois pas qu'il y ait quelque chose de suspect en elle, affirma l'inspecteur après avoir fait signe à la jeune fille de sortir.

— Que pensez-vous de Parker ? »

La gouvernante serra les dents et ne répondit pas.

« J'ai le sentiment qu'il y a quelque chose d'anormal chez cet homme, dit l'inspecteur pensivement. Cependant, je ne sais pas à quel moment il aurait pu agir; son service l'a occupé après le dîner et il présente ensuite un assez bon alibi. J'en suis sûr, car je l'ai vérifié de près. Merci beaucoup, Miss Russell. Nous allons laisser les choses en l'état pour le moment. Il est probable que M. Ackroyd a donné lui-même les quarante livres à quelqu'un. »

La gouvernante nous souhaita sèchement le bonjour et nous la quittâmes. Je sortis de la maison avec Poirot.

« Je me demande, dis-je, en rompant le silence, quels pouvaient bien être les papiers que cette jeune fille avait dérangés pour qu'Ackroyd se soit mis dans une telle colère. Il y a peut-être là un indice.

— Le secrétaire a déclaré qu'il n'y avait sur le bureau aucun papier important, fit tranquillement remarquer Poirot.

— Oui, mais... » Je m'arrêtai.

« Il vous semble bizarre qu'Ackroyd soit entré en fureur pour un motif aussi futile ?

— Oui, un peu...

— Mais sommes-nous sûrs qu'il s'agissait d'une chose insignifiante ?

— Evidemment, nous ne savons pas quels étaient ces papiers. Pourtant, Raymond nous a affirmé...

— Laissons de côté pour un moment ce qu'a dit Raymond. Qu'avez-vous pensé de cette jeune fille ?

— Laquelle ? Ursula Bourne ?

— Oui.

— Elle m'a paru fort bien », répondis-je en hésitant.

Poirot répéta mes paroles en appuyant sur le verbe :

« Oui, elle *paraît* fort bien. »

Puis, après un instant de silence, il prit un papier dans sa poche et me le tendit.

« Regardez, mon ami, je veux vous montrer quelque chose. »

La liste qu'il me tendait avait été collationnée par l'inspecteur et donnée par lui à Poirot, le matin. Il désigna un nom du doigt et je vis une petite croix au crayon tracée à côté de celui d'Ursula Bourne.

« Vous n'avez sans doute pas remarqué, mon cher ami, qu'il y a sur cette liste une personne dont l'alibi n'est pas confirmé et que cette personne est justement Ursula Bourne.

— Vous ne croyez pas ?...

— Docteur Sheppard, je crois tout. Ursula Bourne peut avoir tué M. Ackroyd, bien que j'avoue ne pas comprendre quelles eussent été ses raisons pour le faire, et vous ? »

Il me regardait avec attention... tant d'attention que je me sentis gêné.

« Et vous ? répéta-t-il.

— Je ne vois aucune raison », répondis-je avec fermeté.

Son regard se détourna, il fronça les sourcils et dit, en se parlant à lui-même :

« Puisque le maître chanteur était un homme, il ne peut donc être question d'elle... »

Je toussotai : « Quant à cela... », fis-je d'un ton dubitatif.

Il se tourna brusquement vers moi :

« Quoi ? Qu'alliez-vous dire ?

— Rien. Rien... simplement ceci : dans sa lettre, Mme Ferrars a parlé d'une personne, sans spécifier qu'il s'agissait d'un homme; nous avons seulement pensé, Ackroyd et moi, que c'en était un. »

Mais Poirot ne m'écoutait pas, il se parlait à lui-même :

« Après tout, c'est possible... oui, certainement... mais alors ? il faut que je rajuste mes idées. De l'ordre, de la méthode ! Jamais je n'en ai eu tant besoin. Tout doit s'enchaîner... sinon je suis sur une mauvaise piste. »

Il s'arrêta et se tourna brusquement vers moi...

« Où est Marby ?

— De l'autre côté de Cranchester.

— A quelle distance ?

— Oh ! à quatorze kilomètres environ.

— Vous serait-il possible de vous rendre jusque-là ? Demain, par exemple ?

— Demain ? Oui, c'est dimanche, je pourrais m'arranger. Que désirez-vous que j'aille y faire ?

— Voir cette Mme Folliott et tâcher d'avoir des renseignements au sujet d'Ursula Bourne.

— Très bien, mais... je n'aime pas beaucoup cette mission !

— Ce n'est pas le moment de faire des difficultés. Il s'agit de la vie d'un homme.

— Pauvre Ralph ! dis-je en soupirant. Pourtant vous le croyez innocent. »

Poirot me regarda très gravement.

« Voulez-vous savoir exactement ce que je pense ?

— Evidemment.

— Alors voici : mon ami, tout concourt à le faire présumer coupable !

— Comment ! » m'écriai-je.

Poirot fit un signe affirmatif.

« Oui, cet inspecteur stupide — car il est stupide — a découvert des faits sur lesquels il base sa conviction. Je cherche la vérité... et, sans cesse, je suis ramené à Ralph Paton. Les motifs, l'occasion, les moyens... Mais je ne négligerai rien, je l'ai promis à Miss Flora... Or, cette petite était sûre, très sûre de son innocence. »

CHAPITRE XI

POIROT FAIT UNE VISITE

J'ÉTAIS un peu ému en sonnant à la porte de Marby Grange, le lendemain dans l'après-midi. Je me demandais ce que Poirot espérait découvrir. Pourquoi m'avait-il confié cette mission ? Etait-ce parce qu'il désirait, comme lorsqu'il m'avait chargé de poser des questions au major Blunt, rester à l'arrière-plan ? Mais cette idée, fort naturelle dans le premier cas, me semblait cette fois incompréhensible. Mes méditations furent interrompues par l'arrivée d'une accorte servante qui m'apprit que Mme Folliott était chez elle. Je fus introduit dans un grand salon et je regardai autour de moi avec curiosité, tout en attendant la maîtresse de maison. C'était une grande pièce assez nue, renfermant quelques belles porcelaines et de magnifiques dessins, mais dont les rideaux et le mobilier étaient fanés.

J'admirais un Bartolozzi, pendu au mur, lorsque Mme Folliott fit son entrée. Elle était grande et avait un sourire charmant; ses abondants cheveux bruns étaient mal coiffés.

« Docteur Sheppard ? demanda-t-elle.

— C'est en effet mon nom. Je m'excuse de vous importuner ainsi, madame, mais je désirerais avoir quelques renseignements au sujet d'une femme de chambre qui a été à votre service, Ursula Bourne. »

Lorsque je prononçai ce nom, le visage de Mme Folliott perdit son expression aimable; elle parut fort ennuyée et mal à l'aise.

« Ursula Bourne ? répéta-t-elle d'un ton hésitant.

— Oui. Peut-être ne vous souvenez-vous pas d'elle ?

— Oh ! si, bien entendu. Je... je me rappelle parfaitement.

— Elle vous a quittée il y a un an, je crois ?

— Oui, oui... en effet, c'est bien cela.

— Vous avez été satisfaite d'elle pendant son séjour chez vous ? Combien de temps y est-elle restée ?

— Oh ! un an ou deux... je ne me souviens plus très exactement. Elle... elle est fort travailleuse et je suis sûre que vous en serez satisfait. Je ne savais pas qu'elle quittait Fernly.

— Pouvez-vous, madame, me donner quelques précisions à son sujet ?

— Des précisions ?

— Oui. D'où venait-elle ? Quelle est sa famille ? »

La figure de Mme Folliott prit un aspect plus froid encore.

« Je l'ignore.

— Chez qui était-elle avant d'entrer à votre service ?

— Je ne me souviens pas. »

Elle commençait manifestement à se mettre en colère et elle releva la tête d'un mouvement qu'il me sembla déjà avoir vu.

« Est-il vraiment nécessaire que vous me posiez toutes ces questions ?

— Certainement non, répondis-je avec étonnement et en m'excusant. Je ne me doutais pas qu'elles vous seraient désagréables, je suis désolé. »

L'expression de colère que j'avais discernée sur son visage s'effaça, mais Mme Folliott redevint confuse.

« Oh ! il ne m'est pas désagréable d'y répondre, je vous assure. Pourquoi en serait-il ainsi ? Cela m'a seulement paru étrange... oui, voilà tout... un peu étrange ! »

Un médecin sait toujours reconnaître un mensonge. Je me rendais fort bien compte que Mme Folliott était plus qu'ennuyée d'avoir à me répondre. Elle était bouleversée et il était évident que je me trouvais en présence d'un mystère qu'elle ne voulait pas me dévoiler. Je la jugeai comme devant être une de ces femmes incapables de dissimuler et qui, par conséquent, sont tout à fait malheureuses lorsqu'elles y sont forcées. Mais il était également certain qu'elle était décidée à ne plus rien m'apprendre. Quel que fût le mystère qui entourait Ursula Bourne, Mme Folliott ne m'aiderait pas à l'éclaircir.

Je m'excusai donc encore une fois de mon importunité, pris mon chapeau et me retirai.

J'allai voir deux malades et rentrai chez moi vers six heures. Caroline était assise auprès de la table à thé en désordre et son visage avait une expression de triomphe que je ne connaissais que trop bien et qui était, chez elle, le signe indéniable qu'elle avait reçu ou colporté des nouvelles. Je me demandai quelle pouvait être celle de ces deux hypothèses qui était la vraie.

« J'ai passé un excellent après-midi, commença ma sœur, tandis que je me laissais tomber dans mon fauteuil et présentais mes pieds à l'ardente chaleur du feu.

— Vraiment, est-ce que Miss Ganett est venue te voir ? »

Miss Ganett est une de nos plus actives informatrices.

« Cherche encore », répondit Caroline, avec complaisance.

Je nommai successivement toutes les personnes qui font partie de son service de renseignements, mais ma sœur secoua chaque fois la tête négativement. Elle finit par dire :

« J'ai eu la visite de M. Poirot ! Qu'en penses-tu ? »

J'en pensais beaucoup de choses que je me gardai de communiquer à Caroline.

« Pourquoi est-il venu ? demandai-je.

— Mais pour me voir. Il m'a dit que, connaissant très bien mon frère, il se permettait de se présenter à sa charmante sœur.

— De quoi a-t-il parlé ?

— De lui-même et des affaires dont il s'est occupé. Tu te rappelles ce prince Paul de Mauritanie, celui qui vient d'épouser une danseuse ?

— Eh bien ?

— J'ai lu un article fort intéressant au sujet de sa femme, l'autre jour; on dit tout bas que c'est en réalité une grande-duchesse, une fille du tsar, qui aurait échappé aux Bolcheviks... Or, il paraît que M. Poirot a trouvé la clef d'un affreux mystère dans lequel elle et son mari étaient impliqués. Le prince Paul lui est on ne peut plus reconnaissant...

— Et il lui a sans doute donné une émeraude

grosse comme un œuf de pigeon ? demandai-je ironiquement.

— Il ne m'en a rien dit... Pourquoi ?

— Pour rien; je croyais que c'était classique ! Dans tous les romans policiers, l'incomparable détective reçoit des joyaux de la main de ses clients princiers, éperdus de gratitude.

— Il est fort intéressant d'entendre parler d'affaires de ce genre par ceux qui y ont été mêlés », reprit ma sœur avec satisfaction.

J'admirai l'adresse de M. Hercule Poirot qui avait choisi le sujet de conversation le plus séduisant pour une vieille demoiselle habitant un village retiré.

« T'a-t-il appris si la danseuse est véritablement une grande-duchesse ?

— Il n'a pas le droit de le révéler », dit Caroline d'un air important.

Je me demandai jusqu'à quel point Poirot avait altéré la vérité en causant avec Caroline, pas du tout peut-être; il avait tout simplement joué des sourcils et des épaules.

« Après tout cela, tu as été prête à lui manger dans la main, je suppose !

— Ne sois pas vulgaire, James. Je ne sais vraiment où tu apprends des expressions pareilles.

— Probablement, grâce à mon unique lien avec le monde exterieur, je veux dire auprès de mes malades. Malheureusement ma clientèle ne se compose pas de princes du sang ni d'intéressants émigrés russes. »

Caroline remonta ses lunettes et me regarda.

« Tu parais bien grognon, James; ton foie doit en être la cause, tu feras bien de prendre une pilule ce soir. »

Une personne qui pénétrerait dans mon intérieur, ne croirait jamais que je suis docteur en médecine car ma sœur prescrit sans cesse des remèdes, aussi bien pour elle que pour moi.

« Le diable soit de mon foie, dis-je avec irritation. Avez-vous parlé du meurtre ?

— Naturellement ! De quoi veux-tu qu'on parle ici, en ce moment ? J'ai pu renseigner M. Poirot sur plusieurs points et il m'a été très reconnaissant. Il m'a déclaré que j'aurais fait un excellent détective et que j'avais une connaissance approfondie de la nature humaine. »

Caroline ressemblait à une chatte devant un bol de lait. Elle ronronnait positivement.

« Il m'a beaucoup entretenue des petites cellules grises du cerveau et de leurs fonctions; il affirme que les siennes sont de première qualité.

— Cela ne m'étonne pas, affirmai-je avec amertume, la modestie n'est pas sa vertu dominante !

— Je voudrais bien ne pas te voir faire tant de critiques, James. M. Poirot estime qu'il serait fort important que Ralph se montrât aussitôt que possible car sa disparition produira très mauvaise impression lorsque l'enquête aura lieu.

— Qu'as-tu répondu à cela ?

— J'ai été de son avis, reprit ma sœur d'un ton sentencieux, car j'ai pu lui répéter ce que l'on dit déjà à ce sujet dans le pays.

— Caroline, demandai-je vivement, as-tu raconté à M. Poirot ce que tu as entendu dans le bois, l'autre jour ?

— Mais oui. »

Je me levai et me promenai de long en large, puis je m'écriai :

« J'espère que tu te rends compte de ce que tu as fait ?

— Pas du tout, reprit Caroline sans s'émouvoir, j'ai été étonnée que tu ne le lui aies pas raconté.

— Je m'en suis bien gardé, dis-je, j'aime ce garçon.

— Moi aussi et c'est bien pour cela que je déclare que tu parles sans réfléchir. Je suis certaine que Ralph n'est pas coupable, donc la vérité ne peut pas lui être nuisible et nous devons aider M. Poirot autant que nous le pouvons. Il est fort probable que Ralph était sorti avec cette jeune fille, le soir du meurtre, ce qui lui donne un excellent alibi.

— S'il a un excellent alibi, rétorquai-je, pourquoi ne vient-il pas en informer la police ?

— Peut-être de crainte de causer des ennuis à la jeune fille, dit Caroline avec conviction; mais si M. Poirot la trouve et lui démontre que c'est son devoir, elle se décidera d'elle-même à disculper Ralph.

— Tu sembles avoir inventé un conte de fées; tu lis trop de romans, je te l'ai toujours dit. »

Je me laissai tomber à nouveau dans mon fauteuil et continuai :

« Poirot t'a-t-il posé d'autres questions ?

— Il m'a simplement demandé quels malades tu avais vus, ce matin-là.

— Quels malades ? demandai-je sans comprendre.

— Oui, à ta consultation; combien ils étaient et d'où ils venaient.

— Et tu as pu le renseigner ? »

Caroline est vraiment extraordinaire.

« Pourquoi pas ? s'écria-t-elle triomphalement. De cette fenêtre, j'aperçois le chemin qui conduit à la salle d'attente; or, j'ai une excellente mémoire, James, bien meilleure que la tienne, je t'assure.

— J'en suis certain », murmurai-je machinalement.

Ma sœur reprit en comptant sur ses doigts :

« Il y avait la vieille Mme Benett et le garçon de ferme qui s'est abîmé la main, Dolly Grice à laquelle tu as enlevé une aiguille, le maître d'hôtel américain du paquebot. Voyons... cela fait quatre; puis le vieux George Evans avec son ulcère... enfin... » Elle prit un temps significatif.

« Eh bien ? »

Alors Caroline ménagea son effet, puis siffla en se servant de tous les « s » dont elle pouvait disposer :

« Miss Russell ! »

Puis elle se renversa sur sa chaise et me regarda d'un air auquel il était impossible de se méprendre.

« Je ne sais à quoi tu penses, déclarai-je effrontément; pourquoi Miss Russell ne me consulterait-elle pas au sujet de son genou ?

— Son genou ! Sornettes ! Elle ne souffre pas plus d'un genou que toi et moi. Elle venait pour autre chose.

— Quoi ? »

Caroline dut avouer qu'elle l'ignorait.

« Mais sois bien sûr que c'est là ce que veut découvrir Poirot. Cette femme est bizarre et il s'en est aperçu.

— Mme Ackroyd m'a dit hier précisément la même chose; elle prétend que Miss Russell est étrange.

— Ah ! s'écria Caroline d'un ton sévère. Mme Ackroyd ! En voilà une autre !

— Une autre quoi ? »

Mais ma sœur refusa de s'expliquer davantage. Elle hocha simplement la tête plusieurs fois, plia son tricot et monta dans sa chambre pour revêtir la blouse en soie mauve et le médaillon d'or qui constituent sa toilette de dîner.

Je restai au même endroit, réfléchissant à ce que je venais d'entendre. Poirot était-il vraiment venu chercher des renseignements concernant Miss Russell ou bien l'esprit compliqué de Caroline interprétait-il tout selon ses idées ?

L'attitude de Miss Russell n'avait rien offert qui pût prêter au soupçon, du moins...

Je me remémorai soudain les questions qu'elle m'avait posées sur les soporifiques et les toxiques, mais cela n'avait aucun rapport avec le crime. Ackroyd n'était pas mort empoisonné. Pourtant, c'était étrange.

J'entendis Caroline m'appeler d'une voix un peu aigre :

« James, tu seras en retard pour le dîner. »

Je mis du charbon sur le feu et allai sagement me préparer. La paix chez soi n'est jamais trop chèrement achetée.

CHAPITRE XII

AUTOUR DE LA TABLE

L'ENQUÊTE eut lieu le lundi.

Je ne me propose pas d'en donner les détails, car je ne pourrais que répéter les mêmes choses.

D'accord avec la police nous nous arrangeâmes de façon que presque rien ne pût transpirer au-dehors. Je déposai sur la manière dont Ackroyd avait été tué et sur l'heure probable du crime.

L'absence de Ralph Paton fut remarquée par le coroner, mais ne fut pas soulignée par lui.

Poirot et moi causâmes ensuite un instant avec l'inspecteur Raglan. Celui-ci paraissait sombre.

« L'affaire prend une mauvaise tournure, nous dit-il. Je tâche d'être impartial. J'habite ce pays et j'ai vu plusieurs fois le capitaine Paton à Cranchester; aussi voudrais-je ne pas le trouver coupable; mais, de quelque côté que vous examiniez la question, elle est inquiétante en ce qui le concerne. S'il est innocent, pourquoi ne se montre-t-il pas ? Diverses charges ont été relevées contre lui, mais peut-être pourraient-elles être dissipées. Dans ce cas, pourquoi ne vient-il pas se disculper ? »

Les paroles de l'inspecteur étaient beaucoup plus significatives que je ne pouvais le savoir à ce moment-là.

Un signalement de Ralph avait été télégraphié à tous les ports et à toutes les gares anglaises. La police le cherchait partout. Son appartement de Londres avait été surveillé, ainsi que toutes les maisons qu'il avait l'habitude de fréquenter.

Il paraissait donc impossible que Ralph pût échapper. Il n'avait ni bagages ni, à ce que l'on savait, aucune somme d'argent sur lui.

« Je n'ai pu trouver personne qui l'ait vu à la gare, ce soir-là, continua l'inspecteur. Pourtant il est bien connu par ici et il semblerait que quelqu'un aurait pu le remarquer. Il n'y a pas non plus de nouvelles de Liverpool.

— Vous croyez qu'il est allé à Liverpool ? demanda Poirot.

— Cela paraît vraisemblable à cause de cet avertissement qui a été téléphoné de la gare, juste trois minutes avant le départ de l'express de Liverpool. N'y a-t-il pas là une présomption ?

— A moins que cette communication n'ait eu justement pour objet d'égarer les recherches.

— C'est une idée, dit vivement l'inspecteur; croyez-vous vraiment que cet appel téléphonique doive s'expliquer ainsi ?

— Mon ami, dit gravement Poirot, je l'ignore, mais... je veux que vous sachiez... je crois que lorsque nous aurons élucidé ce point, nous aurons découvert la vérité en ce qui concerne le meurtre.

— Vous m'avez déjà dit quelque chose de ce

genre », observai-je en le regardant curieusement.

Poirot fit un signe affirmatif.

« J'y reviens sans cesse, répondit-il sérieusement.

— Ces deux faits me semblent pourtant ne pas avoir un tel rapport...

— Je ne suis pas de cet avis, murmura l'inspecteur, mais je dois avouer que M. Poirot y attache un peu trop d'importance. Nous avons de meilleurs indices que cela. Les empreintes digitales qui se trouvent sur le poignard par exemple. »

Poirot prit soudain un accent étranger, ainsi que cela lui arrivait chaque fois qu'il se passionnait un peu.

« Monsieur l'inspecteur, dit-il, faites attention à... à... comment dirai-je ?... à la petite rue qui n'a pas de fin ! »

L'inspecteur Raglan le regarda avec stupeur, mais je compris.

« Vous voulez dire l'impasse ?

— C'est cela, l'impasse qui ne conduit nulle part. Il peut en être de même de ces empreintes, elles peuvent ne vous mener à rien.

— Je ne vois pas bien comment ce serait possible, dit l'officier de police; je suppose que vous croyez qu'elles sont falsifiées ? J'ai lu des histoires de ce genre, mais je n'ai jamais rien constaté de semblable. D'ailleurs, qu'elles soient vraies ou fausses, nous aboutirons toujours à quelque conclusion. »

Poirot haussa simplement les épaules en écartant les bras.

L'inspecteur nous montra alors diverses photographies agrandies des empreintes et se lança dans des explications techniques au sujet des lignes et des courbes.

« Voyons, dit-il enfin vexé devant l'attitude de Poirot, vous devez bien admettre que ces empreintes proviennent de quelqu'un qui était ce soir-là dans la maison.

— Naturellement, dit Poirot.

— Or, je les ai toutes relevées, depuis celles de la vieille dame jusqu'à celles de la fille de cuisine. »

Je ne crois pas que Mme Ackroyd eût aimé s'entendre désigner sous le nom de « vieille dame » !

« Toutes ! répéta l'inspecteur.

— Y compris les miennes, dis-je sèchement.

— Aucune ne correspond à celles du poignard, ce qui ne nous laisse le choix qu'entre deux autres personnes : Ralph Paton ou le mystérieux étranger dont nous a parlé le docteur. Lorsque nous les aurons retrouvés tous les deux...

— Il y aura eu beaucoup de temps de perdu, interrompit Poirot.

— Je ne vous comprends pas bien, monsieur.

— Vous me dites que vous avez relevé toutes les empreintes des habitants de la maison, murmura le détective; est-ce bien exact, monsieur l'inspecteur ?

— Certainement.

— Sans oublier personne ?

— Sans oublier personne.

— Les vivants et les morts ? »

Pendant un instant, l'inspecteur parut stupéfait; puis il dit :

« Vous voulez parler ?...

— Du mort, oui, monsieur l'inspecteur. »

Celui-ci eut encore besoin de quelques minutes pour comprendre.

« Je vous suggère, dit tranquillement Poirot, que les empreintes qui sont restées sur le poignard sont celles de M. Ackroyd lui-même et vous pourrez le vérifier aisément, puisque le corps est toujours là.

— Mais comment ? Quelle en serait la raison ? Vous ne pensez sûrement pas à un suicide, monsieur Poirot ?

— Certes non ! Mon idée est que le meurtrier portait des gants ou avait enveloppé sa main dans quelque étoffe; après que le coup eut été frappé, il a dû prendre la main de sa victime et la poser sur le manche du poignard.

— Mais pourquoi ? »

Poirot haussa les épaules :

« Pour rendre plus difficile encore la solution d'un problème compliqué.

— Eh bien, dit l'inspecteur, je vais le vérifier. Qu'est-ce qui vous a donné cette pensée ?

— Je l'ai eue lorsque vous avez bien voulu me montrer le poignard et attirer mon attention sur les empreintes. Je ne sais pas grand-chose au sujet des boucles et des courbes et je vous avoue franchement mon ignorance. Pourtant, il me parut que les marques étaient placées d'une manière étrange et qu'elles étaient très différentes de celles qu'aurait produites une main tenant une arme pour frapper. Il était évident, au contraire, que si le meurtrier avait attiré la main droite de la victime par-dessus l'épaule de celle-ci et en arrière, les empreintes pouvaient difficilement se trouver dans la bonne position. »

L'inspecteur Raglan dévisagea le petit homme. Celui-ci épousseta, d'une chiquenaude, un grain de poussière tombé sur sa manche.

« Soit, dit l'inspecteur, c'est une idée et je vais voir; mais ne soyez pas trop désappointé si elle ne nous conduit à rien. »

Il cherchait à donner à sa voix une inflexion bienveillante et protectrice.

Poirot le regarda partir, puis se tourna vers moi, les yeux brillants.

« Une autre fois, observa-t-il, il me faudra davantage ménager son amour-propre ! Mais, maintenant que nous sommes livrés à nous-mêmes, que penseriez-vous, mon bon ami, d'une petite réunion de famille ? »

La petite réunion, comme l'appelait Poirot, se tint une demi-heure plus tard. Nous nous assîmes autour de la table dans la salle à manger de Fernly. Poirot prit la présidence de ce funèbre conseil. Les domestiques n'étant pas présents, nous étions six en tout : Mme Ackroyd, Flora, le major Blunt, le jeune Raymond, Poirot et moi. Quand tout le monde fut assemblé, Poirot se leva et s'inclina :

« Mesdames, messieurs, je vous ai réunis dans un but déterminé. » Il s'arrêta. « Pour commencer, je veux adresser une demande à mademoiselle.

— A moi ? dit Flora.

— Mademoiselle, vous êtes fiancée au capitaine Ralph Paton. Donc, si quelqu'un a sa confiance, c'est vous. Je vous supplie, si vous savez où il se trouve, de le persuader de revenir. Un instant, s'écria-t-il comme Flora levait la tête pour parler, ne dites rien sans avoir mûrement réfléchi. Mademoiselle, sa situation devient chaque jour plus dangereuse; s'il s'était présenté tout de suite, quelque graves qu'eussent été les charges relevées contre lui, il aurait pu, sans doute, se disculper; mais maintenant, que signifient ce silence et cette fuite ? On ne peut y trouver qu'une seule explication : la culpabilité. Mademoiselle, si vous croyez vraiment à son innocence, persuadez-lui de revenir avant qu'il soit trop tard »

Flora était devenue pâle.

« Trop tard ! » répéta-t-elle à voix basse.

Poirot se pencha vers elle en la regardant :

« Voyons, mademoiselle, dit-il très doucement, c'est le vieux papa Poirot qui vous parle, le vieux papa Poirot qui a beaucoup d'expérience. Je ne cherche pas à vous faire tomber dans un piège; ne voulez-vous pas avoir confiance en moi et me dire où se cache Ralph Paton ? »

La jeune fille se leva et se tint debout devant lui.

« Monsieur Poirot, dit-elle d'une voix claire, je vous jure solennellement que je n'ai aucune idée de l'endroit où se trouve Ralph, que je ne l'ai pas vu et que je n'ai rien reçu de lui, ni le jour du... du meurtre, ni depuis. »

Elle se rassit. Poirot la contempla en silence pendant une ou deux minutes, puis il frappa violemment la table du poing.

« Bien, dit-il; son visage devint sévère. Maintenant, j'en appelle à toutes les personnes assises autour de cette table : Madame Ackroyd, major Blunt, docteur Sheppard, monsieur Raymond, vous êtes tous d'intimes amis de l'homme qui a disparu; si vous savez où se cache Ralph Paton, parlez. »

Il y eut un long silence. Poirot nous regarda tous tour à tour.

« Je vous en supplie, dit-il d'une voix grave, parlez. »

Le silence se prolongea, mais fut enfin rompu par Mme Ackroyd.

« Je dois dire, s'écria-t-elle d'une voix gémissante, que l'absence de Ralph est très bizarre, tout à fait bizarre en vérité. Pourquoi ne revient-il pas en un pareil moment ? Cela paraît cacher quelque chose et je ne puis m'empêcher, ma chère Flora, d'être contente que tes fiançailles n'aient pas été officiellement annoncées.

— Maman, cria Flora fort en colère.

— Nous devons en remercier la Providence, déclara Mme Ackroyd. Je crois fermement en la Providence, dont nous ressentons l'action bienfaisante jusqu'aux extrémités de notre être, comme dit Shakespeare.

— Croyez-vous donc, madame, que le Tout-Puissant soit directement responsable des chevilles épaisses ? » demanda Raymond, en éclatant de son rire joyeux.

Je crois qu'il avait l'intention de détendre les esprits, mais Mme Ackroyd lui jeta un regard de reproche et prit son mouchoir :

« Cela a épargné à Flora une publicité qui serait maintenant bien désagréable. Certes, je ne crois pas que le pauvre Ralph soit aucunement responsable de la mort de Roger. Il est vrai que j'ai le cœur confiant, je l'ai toujours eu et je n'ai jamais mauvaise opinion de qui que ce soit. Toutefois, nous devons nous rappeler que Ralph a subi le choc de plusieurs bombardements, étant enfant; on dit que les effets s'en font sentir pendant de longues années et que certaines personnes perdent, en ce cas, tout contrôle de leurs actes.

— Maman, s'écria Flora, vous ne croyez pas que Ralph soit l'auteur du meurtre ?

— Voyons, madame, dit Blunt.

— Je ne sais que croire, dit Mme Ackroyd en larmoyant, tout est si déconcertant. Qu'adviendrait-il de la fortune si Ralph était reconnu coupable ? »

Raymond repoussa violemment sa chaise et se leva. Le major Blunt resta fort calme et regarda Mme Ackroyd d'un air pensif.

Celle-ci reprit avec obstination :

« Roger, avec les meilleures intentions du monde évidemment, ne lui donnait pas beaucoup d'argent. Je vois bien que vous êtes tous contre moi, mais je répète que je trouve la disparition de Ralph étrange et que je suis contente que les fiançailles de Flora n'aient jamais été annoncées officiellement.

— Elles le seront demain, s'écria la jeune fille d'un ton décidé.

— Flora ! » dit sa mère consternée.

Celle-ci s'était tournée vers le secrétaire :

« Voulez-vous, je vous prie, envoyer l'annonce de mes fiançailles au *Morning Post* et au *Times*, monsieur Raymond ?

— Etes-vous sûre que ce soit bien sage, Miss Ackroyd ? » demanda-t-il gravement.

Elle se tourna impulsivement vers Blunt :

« Vous me comprenez, n'est-ce pas ? dit-elle. Que puis-je faire d'autre ? Je dois soutenir Ralph, n'êtes-vous pas de mon avis ? »

Elle le fixait d'un regard pénétrant et, après un long silence, il fit un signe brusque d'assentiment.

Mme Ackroyd éclata en protestations véhémentes, mais Flora demeura ferme.

Raymond prit alors la parole :

« J'apprécie vos motifs, Miss Ackroyd, mais ne croyez-vous pas que c'est un peu prématuré ? Attendez un ou deux jours.

— Demain, dit Flora d'une voix nette. Inutile de continuer, maman, je puis avoir des défauts, mais je suis loyale envers mes amis.

— Monsieur Poirot, supplia Mme Ackroyd en larmes, ne pouvez-vous lui faire comprendre ?...

— Il n'y a rien à faire comprendre, interrompit Blunt; elle agit comme elle doit agir et je la soutiendrai envers et contre tous. »

Flora lui tendit la main :

« Merci, major Blunt, dit-elle.

— Mademoiselle, déclara Poirot, permettez à un vieillard de vous complimenter de votre courage et de votre fidélité et veuillez ne pas donner une fausse interprétation à mes paroles si je vous prie de la façon la plus solennelle de retarder de deux jours, au moins, l'annonce officielle dont vous parlez. »

Flora hésita.

« Je vous le demande dans l'intérêt de Ralph Paton au moins autant que dans le vôtre. Vous froncez les sourcils et vous ne comprenez pas pourquoi je vous parle ainsi, mais je vous assure que c'est nécessaire. Vous m'avez confié cette affaire, il ne faut pas me gêner maintenant. »

La jeune fille réfléchit quelques minutes avant de répondre.

« Ce n'est pas là ce que j'aurais souhaité, dit-elle enfin, mais j'agirai selon votre désir. »

Puis elle se rassit devant la table.

« Maintenant, mesdames et messieurs, reprit Poirot, je vais continuer à vous exprimer ma pensée. Soyez bien persuadés que je suis décidé à découvrir la vérité. Celle-ci, si laide qu'elle soit en elle-même, a toujours une beauté pour celui qui la cherche. J'ai vieilli et mes facultés peuvent avoir baissé... »

Il s'attendait nettement à une contradiction.

« Quoi qu'il en soit, continua-t-il, il est probable que c'est la dernière affaire dont je m'occuperai jamais, mais Hercule Poirot ne s'arrête pas sur un insuccès. Mesdames et messieurs, je vous dis que je veux savoir et je saurai, malgré vous tous. »

Il prononça ces derniers mots d'un ton provocant et les jeta, en quelque sorte, à notre face.

Je crois que nous cillâmes tous un peu, à l'exception de Raymond qui demeura calme et de bonne humeur comme toujours.

« Que voulez-vous dire par « malgré vous tous » ? demanda-t-il en haussant légèrement les sourcils.

— Mais... ce que je dis, monsieur. Chacun de ceux qui sont ici me cache quelque chose. »

Il leva la tête, car un léger murmure de protestation se faisait entendre.

« Si, si, je sais ce que j'affirme. Il peut s'agir d'une chose peu importante, insignifiante, que vous croyez n'avoir aucun rapport avec le crime, mais *chacun de vous a quelque chose à cacher*. Voyons, n'ai-je pas raison ? »

Son regard, qui semblait à la fois nous défier et nous accuser, fit le tour de la table et tous les yeux se baissèrent devant les siens, oui, tous, les miens comme les autres.

« Vous m'avez répondu, dit Poirot avec un rire singulier et il se leva de son siège.

« Je m'adresse à tous... tous. Dites-moi la vérité, toute la vérité. »

Il y eut un silence.

« Est-ce que personne ne parlera ? »

Il fit entendre un petit rire, puis :

« C'est dommage », dit-il, et il sortit.

CHAPITRE XIII

LA PLUME D'OIE

CE SOIR-LÀ, à la demande de Poirot, je me rendis chez lui après le dîner. Caroline me vit partir avec une visible répugnance. Je crois qu'elle aurait bien désiré m'accompagner.

Poirot me reçut d'une façon fort hospitalière. Il avait placé sur une petite table une bouteille de whisky irlandais (que je déteste), un siphon d'eau de Seltz et un verre.

Il était occupé à se préparer à lui-même du chocolat. Je découvris plus tard que c'était sa boisson favorite.

Il s'enquit poliment de ma sœur. Il ajouta qu'elle avait une conversation fort intéressante.

« Je crains bien que vous n'ayez fait courir son imagination, dans l'après-midi de dimanche », dis-je sèchement.

Il se mit à rire et cligna de l'œil.

« Je suis toujours prêt à recueillir les avis d'un expert », proféra-t-il, mais il se refusa à m'expliquer cette obscure réflexion.

« En tout cas, vous avez appris, par elle, tous les racontars du pays, vrais ou faux.

— Et j'ai obtenu des renseignements précieux, ajouta-t-il tranquillement.

— Tels que ? »

Il secoua la tête.

« Pourquoi ne m'avoir pas dit la vérité ? reprit-il. Dans un endroit comme celui-ci, tous les faits et gestes de Ralph Paton devaient sûrement être connus; si votre sœur n'avait pas traversé le bois ce jour-là, ç'eût été quelqu'un d'autre.

— C'est probable. Mais pourquoi avez-vous témoigné tant d'intérêt à mes clients ? »

Il cligna encore de l'œil.

« A un seul, docteur, à un seul.

— Le dernier, hasardai-je.

— Je trouve Miss Russell fort intéressante à étudier, dit-il évasivement.

— Etes-vous du même avis que ma sœur et que Mme Ackroyd qui déclarent qu'il y a en elle quelque chose de mystérieux ?

— Ah ! elles disent cela ?

— Ma sœur ne vous a-t-elle pas exprimé cette opinion, hier ?

— C'est possible.

— Sans raison, déclarai-je.

— Les femmes, affirma Poirot, sont merveilleuses; elles inventent et, par miracle, elles ont raison. En réalité, ce n'est pas tout à fait cela. Les femmes observent, sans s'en rendre compte, mille détails que leur subconscient coordonne. Elles appellent ensuite intuition le résultat de déductions qu'elles ignorent elles-mêmes. Je suis très fort en psychologie et, vous le voyez, je connais bien toutes ces choses. »

Il gonfla la poitrine avec importance et me parut si ridicule que j'eus grand-peine à ne pas éclater de rire. Puis il but une gorgée de son chocolat et s'essuya soigneusement la moustache.

« Ne voudriez-vous pas me dire, m'écriai-je, ce que vous pensez vraiment de l'affaire qui nous préoccupe ? »

Il déposa sa tasse.

« Vous le souhaitez réellement ?

— Mais oui.

— Vous avez vu ce que j'ai vu. Nos idées doivent donc être les mêmes.

— Je crains que vous ne vous moquiez de moi, dis-je sèchement. Je n'ai, bien entendu, aucune expérience en ces matières. »

Poirot me sourit avec indulgence.

« Vous êtes comme l'enfant qui veut voir les rouages du moteur. Vous voulez considérer l'affaire, non pas avec les yeux du médecin de la famille, mais avec ceux du détective qui n'aime personne et qui, par conséquent, soupçonne tout le monde.

— C'est bien cela...

— Je vais donc vous faire un petit cours. Il faut d'abord tâcher de connaître exactement les faits qui se sont passés l'autre soir, en supposant toujours que la personne à laquelle on parle, ment. »

Je levai les sourcils :

« Etrange mentalité !

— Nécessaire, nécessaire, je vous assure. Premièrement le docteur Sheppard quitta la maison à neuf heures moins dix. Comment est-ce que je sais cela ?

— Parce que je vous l'ai déclaré.

— Mais vous pouviez ne pas me dire la vérité

ou bien votre montre pouvait être dérangée. Seulement Parker certifie également que vous avez quitté la maison à neuf heures moins dix; nous acceptons donc cette affirmation et nous passons. A neuf heures vous vous heurtez à un homme à la grille du parc. Ici nous arrivons à ce que nous appellerons le « roman du mystérieux étranger »; qu'est-ce qui me prouve que c'est exact ?

— Je vous l'ai assuré... », commençai-je encore, mais Poirot m'interrompit d'un geste impatient.

« Vous semblez, ce soir, avoir quelque peine à comprendre, mon ami ! Vous savez que c'est exact, mais moi, comment puis-je en être sûr ? Cependant, je dois dire que votre rencontre avec le mystérieux étranger n'est pas une hallucination de votre esprit, car la femme de chambre de Miss Ganett l'a également croisé quelques minutes avant vous et il lui a aussi demandé le chemin de Fernly Park. Donc, nous admettons sa présence et nous sommes à peu près certains de deux faits le concernant : 1° il ne connaissait pas la localité; 2° quel que fût le but de sa visite à Fernly, il n'en faisait pas grand mystère, puisqu'il s'est enquis plusieurs fois de la route à suivre.

— En effet, je suis en cela d'accord avec vous.

— Donc, j'avais le devoir de compléter mes renseignements sur ce personnage. J'ai appris qu'il s'était arrêté pour boire aux « Trois Dindons ». La servante du bar déclare qu'il avait l'accent américain et qu'il a raconté qu'il venait des Etats-Unis. Aviez-vous remarqué son accent ?

— Oui, répondis-je après avoir réfléchi un instant, mais il était en tout cas, très léger.

— Précisément. Il y a encore ceci que, si vous vous

le rappelez, j'ai ramassé dans le pavillon d'été. »

Il me tendit la petite plume; je la regardai curieusement, puis, soudain, je me rappelai un article que j'avais lu. Poirot qui me dévisageait, fit un signe affirmatif et dit :

« Oui, la poudre d'héroïne... c'est d'un tuyau de plume semblable à celui-ci et dans lequel ils l'introduisent, dont les maniaques se servent pour la porter sur eux et pour la renifler.

— Hydrochlorure de diamorphine, murmurai-je machinalement.

— Cette manière de prendre la drogue est fort usitée aux Etats-Unis; cela nous fournirait, si nous en avions besoin, une nouvelle preuve que l'homme venait bien de là, ou encore du Canada.

— Mais comment votre attention s'est-elle dirigée sur ce pavillon ? demandai-je avec curiosité.

— Notre ami, l'inspecteur, a cru que toute personne prenant le sentier l'utilisait pour arriver plus vite à l'habitation; mais, lorsque j'ai vu la petite maison, je me suis rendu compte que le même chemin pouvait être suivi par quelqu'un qui y aurait un rendez-vous. Or, il paraissait à peu près certain que l'étranger ne s'était présenté ni à la porte d'entrée, ni à la porte de service. Quelqu'un de la maison avait donc dû le rejoindre et le pavillon paraissait fort commode pour une entrevue; c'est pourquoi je l'ai fouillé, dans l'espoir d'y découvrir quelque indice; j'en ai trouvé deux, le morceau de linon et la plume.

— Que pensez-vous du morceau de linon ? »

Poirot ouvrit les yeux :

« Vous n'employez pas vos petites cellules grises, observa-t-il sèchement. La présence, en ce lieu, du morceau de linon empesé est pourtant facile à expliquer.

— Pas pour moi. Quoi qu'il en soit, cet homme s'est rendu au pavillon pour voir quelqu'un. Qui était-ce ?

— C'est bien là le point important, répondit Poirot. Souvenez-vous que Mme Ackroyd et sa fille sont arrivées du Canada.

— Est-ce à cela que vous faisiez allusion aujourd'hui quand vous les accusiez de dissimuler la vérité ?

— Peut-être... Autre chose maintenant. Qu'avez-vous pensé du récit de la femme de chambre ?

— Quel récit.

— Celui de son renvoi. Faut-il une demi-heure pour donner congé à une domestique et l'histoire des papiers était-elle vraisemblable ? Souvenez-vous d'ailleurs qu'elle a déclaré être restée dans sa chambre de neuf heures trente à dix heures, mais que personne n'a pu confirmer cette allégation.

— Vous me stupéfiez...

— Pour moi, au contraire, tout s'éclaire. Communiquez-moi, maintenant, vos propres hypothèses »

Je tirai une feuille de papier de ma poche.

« J'ai noté quelques idées, dis-je en manière d'excuse.

— C'est parfait; vous avez de la méthode. Voyons ? »

Je lus d'une voix un peu embarrassée :

« Pour commencer, il faut examiner les choses avec logique...

— Voilà justement ce que disait mon pauvre Hastings, interrompit Poirot, mais hélas ! il ne mettait jamais ce précepte en pratique.

— 1er point. — On a entendu M. Ackroyd causer

avec quelqu'un à neuf heures et demie. 2e point. — A un moment quelconque de la soirée, Ralph Paton a dû entrer par la fenêtre; les empreintes de ses souliers en font foi. 3e point. — M. Ackroyd est nerveux, ce soir-là, et n'aurait reçu qu'une personne connue de lui. 4e point. — La personne qui se trouvait avec M. Ackroyd à neuf heures et demie lui demandait de l'argent. Or, nous savons que Ralph Paton était endetté. Ces quatre points tendent à prouver que la personne, qui se trouvait avec M. Ackroyd à neuf heures trente, était Ralph. D'autre part, nous savons que M. Ackroyd était encore vivant à neuf heures quarante-cinq, donc ce n'est pas Ralph qui l'a tué. Celui-ci a laissé la fenêtre ouverte et le meurtrier s'est introduit par là dans la pièce.

— Et quel était ce meurtrier ? demanda Poirot.

— L'Américain; il était peut-être de connivence avec Parker et c'est sans doute ce dernier qui exerçait un chantage sur Mme Ferrars. S'il en est ainsi, il a pu se rendre compte que tout était fini et prévenir son complice qui a commis le crime en se servant du poignard que Parker lui a donné.

— C'est une théorie plausible, admit Poirot. Décidément, vos cellules sont assez actives; mais il reste des choses obscures.

— Lesquelles ?

— La communication téléphonique, le déplacement du fauteuil.

— Considérez-vous vraiment ces faits comme importants ?

— Peut-être ne le sont-ils pas, reconnut mon ami, la bergère a pu être déplacée accidentellement, par Raymond ou par Blunt, dans leur émotion. Puis il y a aussi les quarante livres manquantes.

— Données à Ralph par son beau-père; il est peut-être revenu sur son refus.

— Sans doute, mais il resterait un point à éclaircir.

— Lequel ?

— Pourquoi Blunt était-il convaincu que c'était bien Ralph Paton qui se trouvait avec M. Ackroyd à neuf heures trente ?

— Il l'a expliqué.

— Vous trouvez ? Je n'insiste pas sur cette question. Dites-moi plutôt pourquoi Ralph Paton a disparu ?

— Ceci est un peu plus difficile, répliquai-je lentement; il faut que je parle en médecin. Le système nerveux de Ralph a dû faiblir s'il a appris que son beau-père a été assassiné quelques minutes seulement après qu'il l'eut quitté, alors que leur entrevue avait été orageuse : il a pu prendre peur et s'enfuir. On a vu des gens agir comme des coupables, alors qu'ils étaient parfaitement innocents.

— C'est exact, reprit Poirot, mais il y a une chose que nous ne devons pas perdre de vue.

— Je sais ce que vous voulez dire; la raison de l'assassinat : Ralph Paton hérite d'une grosse fortune à la mort de son beau-père.

— Ce peut être là l'un des mobiles du crime, avoua Poirot.

— L'un des mobiles ?

— Mais oui. Ne vous rendez-vous pas compte que nous nous trouvons en présence de trois raisons pour lesquelles ce meurtre a pu être commis. D'abord quelqu'un a certainement volé l'enveloppe bleue et son contenu. Premier motif : chantage. Le capitaine Paton a pu être l'auteur de celui qui était exercé contre Mme Ferrars. Souvenez-vous que depuis un certain temps déjà, suivant Hammond, Ralph ne s'est pas adressé à son beau-père pour obtenir de l'argent, ce qui nous conduirait à croire qu'il en a eu par ailleurs. Puis il y a le fait qu'il était, comme vous le disiez, endetté; il pouvait craindre que cela n'arrivât aux oreilles de M. Ackroyd. Enfin il y a la troisième raison dont vous venez de parler.

— Mon Dieu ! dis-je un peu décontenancé; son cas paraît bien grave.

— Vous trouvez ? Nous ne sommes pas d'accord, sur ce point, vous et moi. Trois motifs... c'est presque trop et je suis enclin à penser que Ralph Paton est innocent. »

CHAPITRE XIV

MADAME ACKROYD

A LA suite de la conversation que je viens de rapporter, l'affaire me parut entrer dans une phase entièrement nouvelle.

D'ailleurs elle peut être divisée en deux parties distinctes l'une de l'autre : la première va de la mort d'Ackroyd, le vendredi soir, au lundi suivant. Pendant tout ce temps, je demeurai sans cesse auprès de Poirot; je vis ce qu'il voyait et je fis de mon mieux pour lire dans ses pensées. Je sais maintenant que je n'y réussis pas. Bien que le détective me montrât tout ce qu'il avait découvert — l'alliance par exemple —, il garda pour lui ses déductions, à la fois logiques et importantes.

Ainsi que je l'appris par la suite, cette discrétion était une des caractéristiques de sa nature. Il laissait échapper des renseignements et des suggestions, mais il n'allait jamais plus loin.

Jusqu'au lundi soir, mon récit aurait donc pu être celui de Poirot lui-même. J'étais le Watson de ce Sherlock Holmes, mais ensuite nos voies divergèrent.

Le détective agit seul; j'apprenais ce qu'il faisait parce que, à King's Abbot, tout se sait; mais il ne me faisait pas par avance ses confidences. D'ailleurs j'avais mes propres préoccupations.

Si je regarde en arrière, ce qui me frappe le plus, c'est le caractère embrouillé de cette période. Chacun cherchait à élucider le mystère et on eût dit que tout le monde travaillait à un « puzzle ». Mais, à Poirot seul revient le mérite d'en avoir ajusté tous les morceaux.

Certains incidents parurent, au moment où ils se produisirent, n'avoir aucun sens, aucun rapport avec le meurtre, celui des souliers noirs, par exemple; mais il ne survint que plus tard... Pour rapporter les événements dans leur ordre logique, je dois parler d'abord de l'entretien que j'eus avec Mme Ackroyd. Elle m'envoya chercher de fort bonne heure, le mardi matin et, d'une manière si urgente, que je partis en hâte, m'attendant à la trouver « in extremis ».

Mme Ackroyd était couchée; elle avait fait cette concession à la situation. Elle me tendit sa main osseuse et me désigna un siège auprès du lit.

« De quoi souffrez-vous ? demandai-je avec cette bonhomie qui est de règle chez les médecins.

— Je suis prostrée, répondit-elle, absolument prostrée; c'est à cause du choc que m'a donné la mort de ce pauvre Roger. On dit que l'effet de pareille émotion ne se manifeste pas tout de suite; mais il y a une réaction. »

Il est regrettable que les médecins ne puissent pas exprimer ce qu'ils pensent vraiment car j'aurais donné beaucoup pour pouvoir m'écrier :

« Allons donc ! »

Au lieu de cela, je proposai à Mme Ackroyd un reconstituant qu'elle accepta sans objections.

Les préliminaires paraissaient terminés, car, je ne m'imaginai pas un seul instant que j'avais été appelé pour lui donner mes soins à la suite du coup que lui avait porté la mort de Roger Ackroyd; mais elle est absolument incapable de se diriger franchement vers un but. Elle s'en approche toujours en suivant des voies tortueuses.

Je me demandai pourquoi elle m'avait envoyé chercher.

« Et puis cette scène hier ! » continua la prétendue malade.

Elle s'arrêta comme si elle s'attendait à une réponse.

« Quelle scène ?

— Docteur, avez-vous oublié ? Cet affreux petit Français ou Belge qui nous a brutalisés comme il l'a fait. Cela m'a bouleversée, surtout venant après l'émotion que la mort de Roger m'avait causée.

— Je suis désolé, madame, je ne sais pas ce qu'il voulait dire car j'espère assez bien connaître mon devoir pour ne pas songer à dissimuler quoi que ce soit; j'ai apporté à la police toute l'aide dont j'étais capable. »

Mme Ackroyd garda le silence et j'ajoutai :

« Certainement. »

Je commençai à comprendre ce que tout cela signifiait.

« Personne ne peut prétendre que je n'ai pas agi comme je le devais, reprit au bout d'un instant mon interlocutrice, et je suis sûre que l'inspecteur Raglan est absolument satisfait. Pourquoi ce petit étranger s'agite-t-il ainsi ? Il est d'ailleurs tout à fait ridicule; il ressemble à l'une de ces caricatures que l'on voit dans les journaux français. Je ne comprends pas pourquoi Flora a voulu le mêler à cette affaire. Elle ne m'en avait pas soufflé mot et elle a agi de sa propre autorité. D'ailleurs, elle est vraiment par trop indépendante. Je suis une femme d'expérience et, de plus, je suis sa mère; elle aurait dû commencer par me consulter. »

J'écoutai, sans rien dire, ce flux de paroles.

« Que croit-il ? c'est ce que je voudrais savoir; s'imagine-t-il vraiment que je cache quelque chose ? Il m'a positivement accusée hier. »

Je haussai les épaules et répondis :

« Cela n'a aucune importance, madame; puisque vous ne dissimulez rien, les remarques qu'il a faites ne s'appliquaient pas à vous. »

Mme Ackroyd prit, selon son habitude, un chemin de traverse.

« Les domestiques sont si ennuyeux, dit-elle, ils potinent, ils causent entre eux, puis cela se répand aux alentours, alors que ce qui s'est passé n'a, en réalité, aucune signification.

— Les domestiques ont donc bavardé ? demandai-je. A quel sujet ? »

Mme Ackroyd me jeta un regard si pénétrant que j'en fus décontenancé.

« Je croyais que vous le saviez, docteur. N'êtes-vous pas resté sans cesse avec M. Poirot ?

— Effectivement.

— Donc vous êtes au courant; c'est cette fille, Ursula Bourne, n'est-ce pas ? Naturellement, elle s'en va, par conséquent elle doit vouloir nous créer autant d'ennuis qu'elle le pourra; ils ont tous le même mauvais esprit. Donc, docteur, puisque vous étiez présent, vous devez savoir exactement ce qu'elle a dit. Je suis extrêmement désireuse qu'aucun bruit erroné ne prenne naissance. En somme il n'est pas nécessaire de confier le moindre détail à la police. Il y a des affaires de famille quelquefois... et elles n'ont rien à faire avec le crime qui a été commis. Mais, si cette fille a voulu médire, elle a pu raconter toute espèce de choses... »

J'étais assez avisé pour me rendre compte qu'une anxiété véritable se cachait sous ce déluge de mots. Poirot avait absolument raison. Parmi les six personnes qui étaient assises, la veille, autour de la table, Mme Ackroyd au moins avait quelque chose à cacher. C'était à moi de découvrir ce que cela pouvait être.

« A votre place, madame, dis-je brusquement, je ferais une confession complète. »

Elle jeta un petit cri.

« Oh ! docteur ! comment pouvez-vous être si brutal ? Il semblerait que... que... pourtant je puis tout expliquer si facilement !

— Alors pourquoi ne pas le faire ? » suggérai-je.

Mme Ackroyd exhiba un mouchoir brodé et devint larmoyante.

« Je pensais, docteur, que vous pourriez faire comprendre les choses à M. Poirot... Il est si difficile à un étranger de pénétrer notre mentalité ! Mais vous ne savez pas, personne ne sait ce que j'ai dû supporter : un martyre, telle a été ma vie. Il m'est désagréable de mal parler d'un mort, pourtant je dois dire la vérité : les plus petites factures étaient vérifiées avec soin, comme si Roger n'avait eu que de piètres revenus au lieu d'être, ainsi que M. Hammond me l'a appris hier, un des hommes les plus riches du comté. »

Elle s'arrêta pour se tamponner les yeux avec le mouchoir brodé.

« Ces affreuses factures ! Il y en avait que je n'aurais pas voulu montrer à Roger : les hommes comprennent si mal certaines choses. Il aurait dit que les achats que j'avais faits n'étaient pas nécessaires. Bien entendu leur total s'élevait et j'en recevais sans cesse. »

Elle me regarda d'un air suppliant comme si elle espérait recevoir de moi des condoléances.

« Il en est souvent ainsi, déclarai-je.

— Les réclamations devenaient pressantes; je vous assure, docteur, que cela me rendait terriblement nerveuse; je ne pouvais plus dormir la nuit et j'avais de terribles palpitations. Enfin je reçus une lettre d'un Ecossais, ou plutôt deux lettres, dont chacune m'était adressée par un Ecossais : l'une venait de M. Bruce Mac Pherson et l'autre de Colin Mac Donald. Etrange coïncidence !

— On ne peut pas dire qu'il y ait eu là une coïncidence, fis-je sèchement. Ce sont habituellement des Ecossais qui écrivent ainsi, mais je les soupçonne d'avoir des ancêtres sémites.

— Dix livres pour dix mille, sur une simple signature, murmura Mme Ackroyd; je répondis à l'un d'eux, mais des difficultés parurent s'élever. »

Elle s'arrêta et je compris que nous arrivions à l'endroit délicat. Je n'ai jamais vu personne qui fût plus difficile à conduire au but.

« Vous comprenez, reprit Mme Ackroyd, tout est une question d'espérances... d'espérances testamentaires. Je pensai, bien naturellement, que Roger prendrait des dispositions à mon égard, mais je n'en étais pas *sûre*. Je songeai alors que si je pouvais jeter un coup d'œil sur son testament, sans aucun sentiment de vulgaire curiosité, je serais ensuite en mesure d'arranger mes affaires. »

Elle me regarda de côté. La situation devenait fort embarrassante. Heureusement, les mots utilisés avec discernement peuvent servir à masquer certaines laideurs.

« Je ne pourrais confier ceci qu'à vous, cher docteur Sheppard, reprit rapidement Mme Ackroyd, car je suis certaine que vous ne me jugerez pas mal et que vous saurez montrer les choses à M. Poirot sous leur véritable jour. Donc, vendredi après-midi... »

Elle fit une pause et hésita. Je l'encourageai.

« Donc vendredi après-midi...

— Tout le monde était sorti, du moins je le croyais. J'entrai dans le cabinet de travail de Roger — j'avais véritablement besoin d'y aller — je veux dire que je ne le faisais pas en cachette, mais j'aperçus tous les papiers empilés sur son bureau et mon esprit fut brusquement traversé par cette pensée : le testament de Roger est-il dans un de ces tiroirs ? Je suis très impulsive, je l'ai toujours été, j'obéis toujours à mon premier mouvement. Il avait très imprudemment oublié ses clefs dans la serrure du premier tiroir.

— Je comprends, dis-je pour l'aider, vous avez fouillé le bureau, avez-vous trouvé le testament ? »

Mme Ackroyd jeta un nouveau cri et je me rendis compte que je n'avais pas déployé assez de diplomatie.

« Oui, cela semble pouvoir être présenté ainsi, mais

les choses ne se sont pas passées de cette manière.

— Certainement, répliquai-je vivement. Veuillez excuser ma regrettable façon de parler.

— Vous comprenez, si j'avais été à la place de ce cher Roger, il m'eût été fort indifférent de laisser connaître les clauses de mon testament; mais les hommes sont tellement mystérieux qu'il faut bien avoir recours à de petits subterfuges pour se défendre.

— Et quel fut le résultat du petit subterfuge ?

— Je vais vous le dire : au moment où j'ouvrais le tiroir du bas, Ursula Bourne entra. Ce fut très gênant. Bien entendu, je fermai le tiroir, me redressai et attirai son attention sur quelques grains de poussière qui se trouvaient sur le bureau; mais son attitude me déplut. Elle demeura respectueuse et pourtant ses yeux eurent une lueur mauvaise, presque dédaigneuse. Je n'ai jamais beaucoup aimé cette fille; c'est une bonne domestique; elle parle à la troisième personne, ne fait pas de difficultés pour porter un bonnet et un tablier, ce qui est assez rare par le temps qui court, elle sert à table correctement... mais voyons, où en étais-je ?

— Vous me disiez qu'en dépit de ses qualités vous n'aimiez pas Bourne.

— En effet, elle est bizarre, assez différente des autres; à mon avis, elle est trop bien élevée; de nos jours on ne peut distinguer une domestique d'une dame.

— Qu'arriva-t-il ensuite ?

— Rien, ou plutôt Roger rentra. Il me demanda : « Qu'est-ce qu'il y a ? »

« Je lui répondis :

« — Je suis simplement venue chercher *Punch*. »

Je pris *Punch* et je sortis. Bourne demeura dans la

pièce et je l'entendis demander à Roger si elle pourrait causer un instant avec lui. J'allai tout droit dans ma chambre, pour m'étendre, car j'étais fort bouleversée. »

Il y eut un silence.

« Vous voudrez bien expliquer tout cela à M. Poirot, n'est-ce pas ? D'ailleurs, vous pouvez vous rendre compte par vous-même combien c'est insignifiant. Seulement, lorsque ce détective s'est montré si sévère en nous parlant de ce que nous désirions lui cacher, j'ai pensé tout de suite à cet incident. Il est possible que Bourne en ait fait quelque histoire extraordinaire, mais vous pourrez mettre les choses au point, n'est-ce pas ?

— Est-ce bien tout ? demandai-je. Vous ne m'avez rien dissimulé ?

— Non... on », répondit Mme Ackroyd, puis plus fermement : « Non. »

Mais j'avais remarqué son hésitation et j'étais sûr qu'elle ne m'avait pas tout dit. Ce fut par une sorte d'intuition que je lui posai la question suivante :

« Madame, est-ce que vous avez laissé la vitrine ouverte ? »

Elle rougit violemment.

« Comment savez-vous ?

— C'est donc bien vous ?

— Oui... je... il y avait là un ou deux objets intéressants. Je venais de lire une étude à ce sujet, accompagnée de la photographie d'un bibelot qui avait été payé très cher par Christy et qui me paraissait semblable à l'un de ceux que contenait la vitrine. J'eus l'idée de l'emporter la première fois que je me rendrais à Londres et... de... le faire estimer. Voyez quelle agréable surprise c'eût été pour Roger s'il avait eu une grande valeur ? »

Je m'abstins de tout commentaire et acceptai le récit de Mme Ackroyd. Je me gardai même de lui demander pourquoi elle s'était crue obligée de s'emparer ainsi, à la dérobée, de l'objet qu'elle désirait prendre.

« Pourquoi avez-vous laissé le couvercle soulevé ? Avez-vous oublié de le fermer ?

— J'ai été surprise, répondit-elle; j'ai entendu un bruit sur la terrasse. Je suis sortie du salon en hâte et je suis arrivée au premier étage au moment où Parker vous a ouvert.

— Ce devait être Miss Russell », dis-je pensivement.

Mme Ackroyd venait de me faire une révélation fort intéressante. Ses intentions réelles au sujet du bibelot d'argent me laissaient indifférent. Ce qui m'importait, c'était le fait que Miss Russel avait dû entrer dans le salon par la porte-fenêtre et que je ne m'étais pas trompé en supposant qu'elle était hors d'haleine parce qu'elle avait couru. D'où venait-elle ? Je songeai au pavillon et au morceau de linon.

« Je me demande si les mouchoirs de Miss Russell sont empesés ? » m'écriai-je sans réfléchir.

Un sursaut de Mme Ackroyd me rappela à moi-même et je me levai.

« Vous pensez pouvoir tout expliquer à M. Poirot ? me demanda-t-elle avec anxiété.

— Oh ! certainement, complètement. »

Je pus enfin m'échapper après avoir dû écouter une nouvelle justification de sa conduite.

La femme de chambre était dans le vestibule et ce fut elle qui m'aida à revêtir mon pardessus. Je la regardai plus attentivement que je ne l'avais fait jusqu'alors et je vis clairement qu'elle avait pleuré.

« Comment se fait-il, lui demandai-je, que vous nous ayez dit avoir été appelée vendredi par M. Ackroyd dans son cabinet ? Je viens d'apprendre que c'est vous qui l'avez prié de vous accorder un entretien. »

Le regard de la jeune fille se baissa devant le mien, puis elle répondit d'une voix tremblante :

« Je comptais partir de toute façon. »

Je n'ajoutai rien et elle m'ouvrit la porte, mais juste au moment où j'allais sortir, elle me dit soudain à voix basse :

« Que monsieur veuille bien m'excuser... a-t-on des nouvelles du capitaine Paton ? »

Je secouai négativement la tête tout en la regardant d'un air interrogateur.

« Il devrait revenir, dit-elle; il devrait certainement revenir. »

Elle fixait sur moi des yeux suppliants.

« Est-ce que personne ne sait où il est ? demanda-t-elle.

— Et vous ? le savez-vous ? répondis-je vivement.

— Non, je ne sais rien, mais n'importe quelle personne s'intéressant à lui dirait la même chose : il devrait revenir. »

Je m'attardai, pensant qu'elle ne s'arrêterait pas là. Sa question suivante m'étonna.

« A quel moment pensez-vous que le meurtre a été commis ? Un peu avant dix heures ?

— C'est ce que l'on croit, déclarai-je, entre dix heures moins un quart et dix heures.

— Pas plus tôt ? Pas avant dix heures moins un quart ? »

Je la regardai attentivement. Elle désirait si manifestement une réponse affirmative !

« Il n'y a aucun doute, dis-je, Miss Ackroyd a vu son oncle vivant à dix heures moins le quart. »

Elle se détourna et tout son corps parut s'affaisser.

« C'est une belle créature, pensai-je en m'en allant, vraiment, une belle créature. »

Caroline était à la maison. Elle avait reçu la visite de Poirot et en était gonflée d'importance.

« Je l'aide à élucider le mystère », m'expliqua-t-elle.

Je me sentis quelque peu inquiet. Caroline est déjà naturellement terrible, mais que deviendra-t-elle lorsque ses instincts de détective auront été encouragés ?

« Avez-vous fait le tour du voisinage, à la recherche de la mystérieuse jeune fille qui était avec Ralph Paton ?

— J'aurais pu le faire de ma propre initiative, dit Caroline. Non, il y a un point particulier que M. Poirot m'a demandé d'éclaircir.

— Lequel ?

— Il désire savoir si les bottines de Ralph Paton étaient noires ou jaunes », déclara Caroline d'un ton extrêmement solennel.

Je la dévisageai. Aujourd'hui, je me rends compte que j'ai été extraordinairement peu perspicace au sujet de ces bottines, car je n'ai pas compris.

« C'étaient des souliers jaunes, dis-je, je les ai vus.

— Pas des souliers, James, des bottines. M. Poirot veut savoir si une paire de bottines que Ralph avait à l'hôtel étaient jaunes ou noires. Cela présente une grande importance.

— Tu peux, si tu veux, douter de mon intelligence, mais je ne saisis pas. Comment vas-tu le découvrir ? »

Caroline déclara que ce ne serait pas difficile. La meilleure amie de notre domestique, Annie, était Clara, femme de chambre de Miss Ganett. Or, Clara était courtisée par le cireur de chaussures des « Trois Dindons »; tout était donc fort simple et, grâce à la complicité de Miss Ganett, qui donna une permission à Clara, la question fut très rapidement résolue.

Nous nous asseyions pour le déjeuner lorsque Caroline me dit d'un ton faussement indifférent :

« A propos des bottines de Ralph Paton...

— Eh bien, qu'y a-t-il ?

— M. Poirot pensait qu'elles devaient être jaunes; il avait tort ; elles étaient noires. »

Caroline hocha la tête plusieurs fois. Elle estimait évidemment avoir pris un avantage sur le détective. Je ne répondis pas, car je cherchais à comprendre quel rapport la couleur des bottines de Ralph Paton pouvait avoir avec le crime.

CHAPITRE XV

GEOFFROY RAYMOND

JE DEVAIS avoir, ce jour-là, une nouvelle preuve du succès de la tactique de Poirot. Le défi qu'il nous avait en quelque sorte porté montrait quelle connaissance il avait du cœur humain. La crainte ou le sentiment de sa culpabilité avaient arraché à Mme Ackroyd la vérité et elle avait été la première à réagir.

Lorsque je revins, dans l'après-midi, de ma tournée de visites médicales, Caroline m'apprit que Geoffroy Raymond venait de partir.

« Désirait-il me parler ? demandai-je en suspendant mon pardessus dans le vestibule.

— Il voulait voir M. Poirot, répondit Caroline, et il était allé aux « Mélèzes », mais M. Poirot était sorti et M. Raymond a pensé qu'il était ici ou que tu savais où il se trouvait.

— Je n'en ai pas la moindre idée.

— J'ai voulu le faire attendre, mais il m'a dit qu'il retournerait aux « Mélèzes » dans une demi-heure et il est parti pour le village. C'est grand dommage car M. Poirot est rentré cinq minutes après son départ.

— Il est venu ici ?

— Non, il est rentré chez lui.

— Comment le sais-tu ?

— Je l'ai vu par la petite fenêtre de derrière », répondit brièvement Caroline.

Je croyais que nous avions épuisé le sujet, mais tel n'était pas l'avis de ma sœur.

« Est-ce que tu n'y vas pas ?

— Où cela ?

— Mais aux « Mélèzes ».

— Pour quoi faire, ma chère amie ?

— M. Raymond désirait vivement voir M. Poirot; tu pourrais apprendre pourquoi. »

Je levai les sourcils et répondis froidement :

« La curiosité n'est pas mon défaut dominant; je puis vivre sans savoir exactement ce que mes voisins font et pensent.

— Allons donc, James, déclara ma sœur, tu désires le savoir autant que moi, mais tu n'es pas aussi franc, voilà tout, et tu prends toujours une attitude.

— Voyons, Caroline ! »

Et je rentrai dans mon cabinet.

Dix minutes plus tard, ma sœur frappa à ma porte et entra, tenant à la main un objet qui ressemblait à un pot de confitures.

« James, dit-elle, cela t'ennuierait-il de porter ce pot de gelée de nèfles à M. Poirot ? Je le lui ai promis; il n'en a jamais mangé.

— Annie ne peut-elle pas y aller ? demandai-je froidement.

— Elle raccommode et je ne veux pas la déranger. »

Caroline et moi nous nous regardâmes.

« Très bien, dis-je en me levant, mais si je m'en charge, je le déposerai à la porte; tu comprends ? »

Ma sœur fit une grimace.

« Naturellement, reprit-elle, qui t'a proposé de faire autre chose ? »

Caroline restait avec les honneurs de la guerre.

« Si par hasard tu vois M. Poirot, ajouta-t-elle cependant comme j'ouvrais la porte d'entrée, tu pourrais lui parler des bottines. »

Ce trait final était fort adroit car je désirais vivement comprendre l'énigme qu'était pour moi cette question de bottines, aussi quand la vieille femme au bonnet breton m'ouvrit la porte, je me surpris a demander machinalement si M. Poirot était chez lui.

Celui-ci se leva pour venir à ma rencontre avec toutes les apparences de la cordialité.

« Asseyez-vous, mon bon ami, dit-il. Voulez-vous ce fauteuil ou bien cette chaise ? La pièce n'est-elle pas trop chaude ? »

Je trouvai que la température y était étouffante, mais je me gardai de le dire. Les fenêtres étaient fermées et un grand feu flambait dans la cheminée.

« Les Anglais ont la manie de l'air frais, déclara Poirot. L'air est à l'extérieur de la maison, pourquoi l'y faire entrer ? Mais, laissons là ces banalités. Vous avez quelque chose pour moi ?

— Deux choses, dis-je. D'abord ceci que ma sœur vous envoie. »

Je lui tendis le pot de gelée de nèfles.

« Comme c'est aimable de la part de Mlle Caroline. Elle s'est rappelé sa promesse... et ensuite ?

— Un renseignement. »

Je lui racontai mon entrevue avec Mme Ackroyd. Il écouta d'un air intéressé, mais sans paraître attacher une grande importance à mon récit.

« Cela déblaie le terrain, fit-il pensivement, et ces révélations ont une certaine valeur, car elles confirment les déclarations de la gouvernante. Vous vous souvenez de ce qu'elle nous a dit : elle a trouvé le couvercle de la vitrine ouvert et elle l'a fermé en passant.

— Mais elle a affirmé aussi qu'elle ne s'était rendue dans le salon que pour voir si les fleurs étaient encore fraîches.

— Oh ! nous n'avons jamais pris cela au sérieux, n'est-ce pas, mon ami ? C'était manifestement une excuse inventée en hâte par une femme qui a jugé urgent d'expliquer sa présence, bien que celle-ci ne vous eût sans doute pas semblé anormale. J'avais cru que son agitation venait de ce qu'elle avait touché à la vitrine, mais je pense maintenant qu'elle avait une autre cause.

— Oui, dis-je, à la rencontre de qui était-elle allée et pourquoi ?

— Vous croyez qu'elle est allée à la rencontre de quelqu'un ?

— Je le crois. »

Poirot fit un signe affirmatif.

« Moi aussi, dit-il gravement.

— A propos, ma sœur m'a chargé d'une communication pour vous : les bottines de Ralph Paton étaient noires et non pas jaunes. »

Je l'examinai attentivement pendant que je parlais et il me sembla voir une expression fugitive de désappointement passer sur son visage, mais elle ne dura que le temps d'un éclair.

« Elle est absolument sûre qu'elles ne sont pas jaunes ?

— Absolument.

— Ah ! dit Poirot, comme à regret, c'est dommage », et il sembla tout à fait désolé.

Il ne me fournit d'ailleurs aucune explication et entama tout de suite un nouveau sujet de conversation.

« Est-il indiscret de vous demander ce qui s'est passé entre vous et Miss Russell lorsqu'elle est allée vous voir, vendredi matin, les questions médicales mises à part, bien entendu ?

— Pas du tout. Lorsque je lui eus donné ma consultation, nous parlâmes de poisons pendant quelques minutes, notamment de la manière de les reconnaître, puis des stupéfiants et de ceux qui s'y adonnent.

— En particulier de la cocaïne ? demanda Poirot.

— Comment le savez-vous ? » répliquai-je un peu surpris.

Pour toute réponse, le petit homme traversa la pièce jusqu'à une table où s'empilaient des journaux. Il m'apporta un numéro du *Daily Budget* daté du vendredi 16 septembre et me montra un article sur les recéleurs de cocaïne. C'était un article à sensation, écrit dans un style imagé.

« Voilà ce qui a éveillé l'idée de cocaïne dans l'esprit de Miss Russell, mon ami », dit Poirot.

Je l'aurais interrogé davantage, car je ne comprenais pas bien à quoi il pensait, mais à ce moment, la porte s'ouvrit et Raymond fut annoncé.

Il entra, alerte et cordial comme d'habitude et nous salua tous deux.

« Comment allez-vous, docteur ? Monsieur Poirot, c'est la seconde fois que je viens ici, ce matin. J'avais hâte de vous voir.

— Je ferais bien sans doute de me retirer, suggérai-je assez maladroitement.

— Pas à cause de moi, docteur. Voici de quoi il s'agit, reprit-il en s'asseyant sur un geste d'invitation de Poirot, j'ai une confession à faire.

— En vérité ! dit Poirot d'un air d'intérêt poli.

— Oh ! c'est sans grande importance vraiment; mais ma conscience me tourmente depuis hier après-midi. Vous nous avez tous accusés de vous cacher quelque chose. Or, je me déclare coupable, j'ai dissimulé un détail.

— Quel est-il, monsieur Raymond ?

— Comme je vous le dis, il n'a pas grande portée : j'étais fort endetté et ce legs me tire d'embarras; ces cinq cents livres me libèrent et me laissent même un excédent. »

Il nous sourit à tous deux de cette manière franche qui le rendait si sympathique.

« Vous me comprenez. Ce policier soupçonneux m'ôtait l'envie d'avouer que j'étais à court d'argent; je craignais d'éveiller sa méfiance. Mais c'était insensé car Blunt et moi nous étions dans la salle de billard, à partir de dix heures moins un quart, ce qui me donne le plus probant des alibis. Toutefois lorsque vous vous êtes écrié que nous vous cachions quelque chose, j'eus un scrupule et j'ai voulu décharger ma conscience. »

Il se leva et nous sourit de nouveau.

« Vous êtes un garçon très raisonnable, déclara

Poirot en lui jetant un regard approbateur. Voyez-vous, lorsque je sais qu'une personne ne dit pas toute la vérité, j'imagine toujours qu'elle dissimule un fait grave. Vous avez bien fait d'agir ainsi.

— Je suis heureux d'être disculpé, dit Raymond en riant, je me sauve.

— Voilà, dis-je, tandis que la porte se fermait derrière le jeune secrétaire.

— Oui, acquiesça Poirot, une bagatelle; mais s'il n'avait pas été dans la salle de billard... qui sait ? Après tout, que de crimes ont été commis pour moins de cinq cents livres ! Tout dépend de la somme nécessaire pour tenter un homme. C'est une question de relativité. Avez-vous réfléchi, mon ami, que bien des personnes, dans cette maison, devaient profiter de la mort de M. Ackroyd : Mme Ackroyd, Miss Flora, le jeune Raymond, la gouvernante, Miss Russell. Il n'y a que le major Blunt qui n'en retire aucun bénéfice. »

Son ton, en prononçant ce dernier nom, était si étrange que je le regardai, intrigué.

« Je ne vous comprends pas tout à fait...

— Deux de ceux que j'ai accusés de n'être pas entièrement sincères, m'ont dit la vérité.

— Vous croyez que le major Blunt a aussi quelque chose à cacher ?

— Quant à cela, répondit nonchalamment Poirot, ne dit-on pas que les Anglais ne cachent qu'une chose : leur amour ? Je dois reconnaître d'ailleurs que le major Blunt dissimule bien mal.

— Je me demande quelquefois, si nous n'avons pas, sur un point, conclu d'une manière trop hâtive.

— Lequel ?

— Nous avons toujours pensé que la personne qui faisait chanter Mme Ferrars était nécessairement la même que celle qui a assassiné M. Ackroyd. Ne pourrions-nous pas nous tromper ? »

Poirot fit un signe de tête énergique.

« Très bien, très bien, en vérité; je m'étais demandé si cette idée ne vous viendrait pas. C'est possible évidemment, mais il y a un fait que nous devons nous rappeler : la lettre a disparu. Cependant, comme vous le dites, cela ne signifie pas nécessairement que le meurtrier l'ait prise. Lorsque vous avez découvert le corps, Parker peut avoir soustrait la lettre sans que vous le remarquiez.

— Parker ?

— Oui, Parker; j'en reviens toujours à lui, non pas que je le considère comme l'assassin, car il n'a pas commis le crime, mais qui, mieux que lui, paraît pouvoir incarner le mystérieux gredin qui terrorisait Mme Ferrars ? Il peut avoir appris les détails de la mort de M. Ferrars par un des domestiques de King's Paddock. En tout cas, il a pu les connaître plus facilement qu'un hôte de passage, tel que Blunt, par exemple.

— Parker peut avoir pris la lettre, en effet, car je n'ai remarqué sa disparition que plus tard.

— Quand ? Lorsque Blunt et Raymond furent entrés dans la pièce ou avant ?

— Je ne me rappelle pas, dis-je lentement. Je crois que c'était avant... non après, je suis presque sûr que c'était après.

— Donc, trois personnes peuvent êtres mises en cause, dit Poirot pensivement, mais il est vraisemblable que c'est Parker qui a dérobé la lettre. J'ai envie de faire une petite expérience en ce qui le concerne. Voulez-vous m'accompagner jusqu'à Fernly, mon ami ? »

J'acceptai et nous partîmes tout de suite.

Poirot demanda à voir Miss Ackroyd et celle-ci vint nous rejoindre.

« Mademoiselle Flora, dit le détective, je veux vous confier un secret. Je ne suis pas très sûr de l'innocence de Parker et je me propose de tenter une petite épreuve, avec votre aide. Je voudrais connaître quelques-uns de ses gestes, le soir du crime, mais il faut penser à la manière de lui expliquer... ah ! j'ai trouvé. Je désire savoir si l'on peut entendre, de la terrasse, des voix qui s'élèveraient dans la petite entrée. Maintenant, veuillez sonner Parker, s'il vous plaît. »

Je sonnai et le maître d'hôtel apparut, obséquieux, comme à son ordinaire.

« Monsieur a sonné ?

— Oui, mon brave Parker; je voudrais faire une expérience. J'ai demandé au major Blunt de rester sur la terrasse près de la fenêtre du cabinet de travail, pour me rendre compte si une personne placée à cet endroit pouvait entendre votre conversation avec Miss Ackroyd, dans le vestibule, le soir du crime. Je désire voir comment les choses se sont passées. Voudriez-vous donc aller chercher le plateau que vous portiez ? »

Parker disparut et nous nous rendîmes dans l'entrée qui précède le cabinet de travail. Au bout d'un instant, nous entendîmes un bruit cristallin dans le hall et Parker se montra sur le seuil, porteur d'un plateau contenant un siphon, une carafe de whisky et deux verres.

« Un instant, cria Poirot, levant la main et paraissant très agité. Il faut procéder avec méthode, exactement dans l'ordre où les actes se sont succédé, c'est une de mes petites manies.

— C'est une habitude étrangère, n'est-ce pas, monsieur ? dit Parker. Je crois qu'on appelle cela la reconstitution du crime. »

Il demeurait imperturbable, attendant poliment les ordres de Poirot.

Celui-ci s'écria :

« Ah ! ce brave Parker est au courant. Il a lu les récits de ce genre. Maintenant, je vous en prie, soyons aussi précis que possible; vous veniez du vestibule extérieur... et où se trouvait mademoiselle ?

— Ici, dit Flora en se postant contre la porte du cabinet de travail.

— C'est bien cela, monsieur, dit Parker.

— Je venais de fermer la porte, dit Flora.

— Oui, mademoiselle, continua le maître d'hôtel, votre main était encore sur la poignée comme maintenant.

— Allez, dit Poirot, continuez. »

Flora resta debout, la main posée sur le bouton de la porte et Parker, après s'être éloigné une seconde, reparut sur le seuil du hall, portant le plateau. Puis il s'arrêta. Flora parla :

« Oh ! Parker, M. Ackroyd désire ne plus être dérangé ce soir. Est-ce exact ? ajouta-t-elle tout bas.

— Oui, autant que je puis m'en souvenir, Miss Flora, répliqua Parker, mais je crois que vous avez dit « maintenant » au lieu de « ce soir. »

Puis, élevant la voix d'une manière quelque peu théâtrale, il reprit :

« Très bien, mademoiselle, dois-je fermer les portes comme d'habitude ?

— Oui, s'il vous plaît. »

Parker se retira, Flora le suivit et commença à gravir l'escalier principal.

« Est-ce suffisant ? demanda-t-elle en se retournant.

— Parfait, déclara le petit homme en se frottant les mains.

— A propos, Parker, êtes-vous sûr qu'il y avait deux verres sur le plateau, ce soir-là ? Pour qui était le second ?

— J'apportais toujours deux verres, monsieur, dit Parker. Monsieur désire-t-il autre chose ?

— Non, rien, je vous remercie. »

Parker s'en alla, toujours digne et Poirot demeura au milieu du hall, les sourcils froncés. Flora descendit l'escalier et vint nous rejoindre.

« Votre expérience a-t-elle été concluante ? demanda-t-elle. Je ne comprends pas tout à fait. »

Poirot lui sourit.

« Il n'est pas nécessaire que vous compreniez, répondit-il; mais dites-moi, y avait-il vraiment deux verres sur le plateau ce soir-là ? »

Flora réfléchit un instant.

« Je ne me rappelle absolument pas, dit-elle; je crois que oui. Etait-ce là ce que vous vouliez réellement savoir ? »

Poirot lui prit la main et la tapota.

« Acceptez cette explication, dit-il; je cherche toujours si l'on dit la vérité.

— Parker a-t-il dit la vérité ?

— Je crois vraiment que oui », répondit Poirot gravement.

Quelques instants plus tard, nous retournions vers le village.

« Pourquoi avez-vous posé cette question au sujet des verres ? » demandai-je curieusement.

Poirot haussa les épaules :

« Il faut bien dire quelque chose, déclara-t-il, et cette question en valait une autre. »

Je le regardai fixement.

« En tout cas, mon ami, dit-il plus sérieusement, j'ai élucidé un point que je voulais éclaircir. Restons-en là. »

CHAPITRE XVI

UNE SOIRÉE DE MAH-JONG

Ce même soir, nous eûmes une petite réunion de Mah-jong. Ce genre de réception est très en faveur à King's Abbot. Les invités arrivent après dîner, chaussés de caoutchouc et enveloppés d'imperméables.

Ils prennent le café et on leur offre ensuite du thé, des sandwiches et un gâteau. Cette fois, nos invités étaient : Miss Ganett et le colonel Carter qui habite près de l'église. On potine ferme durant ces soirées et cela nuit souvent au jeu.

Nous jouions autrefois au bridge, à un bridge parlé de la pire espèce, mais nous trouvons le Mah-jong plus paisible. Il n'y a plus ainsi de discussions entre partenaires, lorsque l'un d'eux n'a pas joué la carte convenable et, bien que nous exprimions encore franchement nos critiques, elles ont cessé d'être acerbes.

« Il fait très froid ce soir, hein, Sheppard », dit le colonel Carter en s'adossant à la cheminée. Caroline avait emmené Miss Ganett dans sa chambre où elle l'aidait à se débarrasser de ses nombreux châles. « Cela me rappelle la traversée de l'Afghanistan.

— Vraiment ? dis-je poliment.

— Très mystérieuse, l'affaire de ce pauvre Ackroyd. continua le colonel, en acceptant une tasse de café; elle cache beaucoup de choses, telle est mon opinion. De vous à moi, Sheppard, j'ai entendu prononcer le mot « chantage » et il me jeta un regard qui pourrait être défini : un regard d'homme à homme. Il y a une femme là-dessous, sans aucun doute, reprit-il, croyez-moi il y a une femme. »

Caroline et Miss Ganett nous rejoignirent à ce moment et Miss Ganett but son café tandis que Caroline prenait la boîte de mah-jong et répandait les dominos sur la table.

« Touillons les dominos, déclara le colonel d'un ton facétieux, oui, touillons les dominos, comme nous disions au club de Shanghaï. »

L'opinion de Caroline et la mienne est que jamais le colonel Carter n'a, de sa vie, mis les pieds au club de Shanghaï, nous croyons même qu'il n'est pas allé plus loin que l'Inde, où il a jonglé avec des boîtes de conserves pendant la Grande Guerre; mais le colonel est très militaire et les petites manies de chacun sont fort respectées à King's Abbot.

« Commençons-nous ? » demanda Caroline.

Nous nous assîmes autour de la table et, pendant dix minutes, le silence le plus complet régna, car nous rivalisions tous de vitesse pour construire un mur.

« A toi, James, dit enfin Caroline, tu es vent d'est. »

Je posai un domino et quelques coups furent joués, interrompus seulement par les mots « trois bambous, deux cercles, pong » et fréquemment aussi par celui de « pardon », que prononçait Miss Ganett, toujours trop prompte à s'emparer de dominos auxquels elle n'avait aucun droit. seizing

« J'ai aperçu Flora Ackroyd ce matin, dit-elle, pong ! non pardon, j'ai fait une erreur.

— Quatre cercles, dit Caroline, où l'avez-vous aperçue ?

— Elle ne m'a pas vue, reprit Miss Ganett, de ce ton significatif spécial aux habitants des petites villes.

— Ah ! dit Caroline d'un ton intéressé, « tcho ».

— Je crois, déclara Miss Ganett, abandonnant un instant son sujet, qu'on dit maintenant « tcheu » au lieu de « tcho ».

— Allons donc, dit Caroline, j'ai toujours dit « tcho ».

— Au club de Shanghaï, dit le colonel, on dit « tcho ».

Miss Ganett, annihilée, se tut.

« Que disiez-vous au sujet de Flora Ackroyd ? demanda Caroline après quelques instants uniquement consacrés au jeu. Etait-elle seule ?

— Certes non », répliqua Miss Ganett.

Les deux dames se regardèrent et parurent se comprendre.

« Vraiment, s'écria Caroline, fort agitée, c'est donc cela ! Je n'en suis pas surprise.

— Nous attendons que vous jouiez, Miss Caroline, dit le colonel qui affecte parfois de prendre l'attitude d'un homme plongé dans son jeu et indifférent aux potins, ce qui d'ailleurs ne trompe personne. deceive

— Si vous voulez mon opinion... dit Miss Ganett. Est-ce un bambou que vous avez posé, ma chère ?

Ah ! non, je vois, c'est un cercle... ainsi que je vous le disais, mon opinion est que Flora a eu beaucoup de chance.

— Comment cela, Miss Ganett ? demanda le colonel. Je prends ce dragon vert... Pourquoi trouvez-vous que Miss Flora a eu de la chance ? C'est une charmante jeune fille.

— Je ne suis pas très au courant de ce qui concerne les crimes, dit Miss Ganett du ton de quelqu'un qui n'ignore rien à ce sujet, mais je puis affirmer une chose : la première question qui se pose est celle-ci : quelle est la dernière personne qui a vu la victime vivante ? et cette personne est toujours soupçonnée. Or, dans ce cas particulier, c'est Flora Ackroyd et la situation aurait pu être fort tendue pour elle, fort tendue en vérité. A mon avis — je vous le donne pour ce qu'il vaut — Ralph Paton se cache pour détourner les soupçons sur lui.

— Voyons, protestai-je doucement, vous ne croyez pas possible qu'une jeune fille comme Flora Ackroyd ait été capable de poignarder son oncle de sang-froid ?

— Je n'en sais rien, répondit Miss Ganett. Je viens de lire un livre sur les bas-fonds de Paris où l'on dit que les pires criminels sont souvent des jeunes filles au visage angélique.

— Mais c'est en Allemagne ! dit instantanément Caroline.

— Evidemment, répliqua le colonel, pourtant je vais vous raconter une étrange histoire qui faisait le tour des bazars aux Indes. »

L'histoire du colonel était interminable et présentait fort peu d'intérêt. Un événement qui s'est passé aux Indes, il y a nombre d'années, ne peut pas être comparé à un fait datant de deux jours et ayant King's Abbot pour théâtre.

Ma sœur mit heureusement fin au récit du colonel en déclarant « Mah-jong ».

Après la gêne légère qui résulte toujours du fait que je suis obligé de corriger les opérations arithmétiques quelque peu défectueuses de Caroline, nous commençâmes une nouvelle partie.

« Le vent d'est passe, déclara ma sœur. J'ai une idée, moi, au sujet de Ralph Paton. Trois caractères — mais je la garde pour moi.

— Vraiment, dit Miss Ganett. Tcho... je veux dire Pong.

— Oui, répondit ma sœur avec fermeté.

— Y avait-il une concordance pour les bottines ? demanda Miss Ganett, je parle de la question de leur couleur.

— Concordance parfaite, affirma Caroline.

— Que tendait-elle à prouver ? » reprit Miss Ganett.

Ma sœur serra les lèvres et secoua la tête comme si elle était parfaitement au courant.

« Pong, dit Miss Ganett, non, pardon. Je suppose que le docteur, qui est sans cesse avec M. Poirot, partage tous ses secrets.

— J'en suis fort loin.

— James est trop modeste, dit Caroline. Ah ! un carré caché ! »

Le colonel fit entendre un sifflement et, pendant un moment, le jeu nous absorba.

« Vous avez aussi deux brelans de dragons, remarqua le colonel. Il faut que nous soyons prudents, Miss Caroline va faire une grosse partie. »

Nous jouâmes en silence, puis le colonel reprit :

« Ce M. Poirot est-il réellement un grand détective ?

— Le plus grand qui existe, affirma Caroline. Il était venu incognito pour éviter le bruit qui serait fait autour de son nom.

— Tcho ! dit Miss Ganett. Quelle gloire pour notre village ! A propos, ma femme de chambre, Clara, est l'amie d'une des domestiques de Fernly, nommée Elsie; celle-ci a parlé d'une grosse somme d'argent dérobée et lui a déclaré qu'une fille appelée Ursula Bourne ne doit pas être étrangère à ce vol. Il paraît qu'elle doit partir et qu'elle pleure beaucoup la nuit. Il est probable qu'elle est affiliée à une bande. D'ailleurs elle a toujours paru bizarre; elle ne s'est liée avec aucune autre jeune fille et elle sort toujours toute seule, ce qui n'est pas naturel. Je lui ai demandé une fois de venir à nos réunions de la Société amicale des jeunes filles et elle a refusé. Je lui ai ensuite posé quelques questions concernant sa famille et j'ai jugé ses réponses fort impertinentes. Extérieurement, elle avait une attitude respectueuse, mais elle m'a, en quelque sorte, obligée à me taire. »

Miss Ganett s'arrêta pour reprendre haleine et le colonel, que cette question de domestiques n'intéressait aucunement, fit observer qu'au club de Shanghaï on jouait toujours vite. Nous mîmes ce précepte en pratique, puis après un tour Caroline reprit :

« Cette Miss Russell est venue ici soi-disant pour consulter James vendredi matin. A mon avis elle voulait savoir où nous gardions nos poisons. Cinq caractères.

— Tcho, dit Miss Ganett. Quelle chose étrange ! je me demande si c'est bien cela.

— A propos de poisons, dit le colonel. Comment ?... n'ai-je pas joué ? Ah ! Huit bambous.

— Mah-jong ! » répliqua Miss Ganett.

Caroline parut très contrariée.

« Si j'avais eu un dragon rouge, dit-elle avec regret, j'aurais eu une main de paires.

— J'ai eu deux dragons rouges dès le début, avouai-je.

— Je te reconnais bien là, James, s'écria Caroline d'un ton de reproche, tu ne tiens aucun compte de l'esprit du jeu. »

Mon opinion était que j'avais joué très adroitement car j'aurais eu à lui payer un grand nombre de points si elle avait gagné, tandis que le Mah-jong de Miss Ganett était fort modeste, ainsi que Caroline s'empressa de le lui faire remarquer.

Le vent d'est passa et nous recommençâmes une nouvelle partie.

« Voici ce que j'allais vous dire, déclara Caroline.

— Quoi donc ? s'enquit Miss Ganett d'un ton encourageant.

— C'est de Ralph Paton que je veux parler.

— Oui, ma chère. » La voix de Miss Ganett se fit de plus en plus pressante — « Tcho !

— C'est un signe de faiblesse d'annoncer « tcho » aussi vite, déclara sévèrement Caroline, il vaut mieux chercher à faire une belle partie.

— Je sais bien. Vous disiez... à propos de Ralph Paton ?

— Je crois avoir deviné où il est. »

Nous nous arrêtâmes tous pour la regarder.

« Ceci est intéressant, Miss Caroline, dit le colonel Carter. Vous avez deviné seule ?

— Pas tout à fait; je vais vous expliquer. Vous connaissez la grande carte du comté qui est pendue dans le vestibule ? »

Nous fîmes tous un signe de tête affirmatif.

« Eh bien, quand M. Poirot est sorti l'autre jour, il s'est arrêté pour la regarder et il a fait une réflexion que je ne me rappelle pas exactement; je crois qu'il a dit que Cranchester était la seule ville importante des environs, ce qui est évident. Mais après son départ, l'idée est née brusquement en moi.

— Quelle idée ?

— Ralph est à Cranchester. »

A ce moment je renversai la petite étagère qui contenait les dominos. Ma sœur me reprocha ma maladresse, mais sans conviction car elle était absorbée par ses déductions.

« Cranchester, Miss Caroline ? dit le colonel Carter. Il n'est sûrement pas à Cranchester. C'est trop près.

— Mais justement, s'écria triomphalement ma sœur; il paraît certain maintenant qu'il n'a pas pris un train; il a dû simplement aller à Cranchester à pied et je suppose qu'il y est encore. Personne ne songera à le chercher dans une ville aussi rapprochée !... »

Je fis plusieurs objections à cette hypothèse, mais lorsque Caroline a logé une idée dans son esprit, rien ne peut l'en arracher.

« Et vous croyez que M. Poirot a la même pensée ? reprit Miss Ganett après réflexion. C'est une étrange coïncidence, mais je me promenais cet après-midi sur la route de Cranchester et je l'ai rencontré qui venait de cette ville, dans une torpédo. »

Nous nous regardâmes.

« Ah ! mon Dieu ! dit soudain Miss Ganett. Je suis Mah-jong et je ne l'ai pas remarqué. »

L'attention de Caroline fut distraite de ses pensées précédentes et elle déclara à Miss Ganett qu'une main composée de couleurs mélangées et de plusieurs « tcho » était sans intérêt. Miss Ganett l'écouta sans sourciller en rassemblant ses marques.

« Oui, ma chère, je sais ce que vous voulez dire, répondit-elle. Mais cela dépend des dominos que l'on possède pour commencer.

— Vous n'aurez jamais de belles parties si vous ne cherchez pas à les faire, insista Caroline.

— Chacun joue son jeu, repartit Miss Ganett. D'ailleurs, quoi qu'il en soit, j'ai beaucoup de points jusqu'à présent. »

Caroline qui en avait fort peu, se tut.

Le vent d'est passa encore. Annie apporta le thé. Miss Ganett et Caroline étaient toutes deux agacées, ainsi que cela se produit souvent au cours de ces petites réunions.

« Si vous vouliez seulement jouer un tant soit peu plus vite, ma chère, dit Caroline, tandis que Miss Ganett hésitait à poser un domino. Les Chinois jouent si vite qu'on croit entendre courir de petits oiseaux. »

Pendant quelques minutes nous jouâmes comme les Chinois.

« Vous n'avez guère contribué à nous éclairer, Sheppard, dit cordialement le colonel Carter. Vous êtes un cachottier car vous marchez la main dans la main avec le grand détective et vous ne nous donnez pas la moindre indication.

— James est un être extraordinaire, repartit ma

sœur, il ne peut se résoudre à nous communiquer le plus petit renseignement. »

Puis elle me regarda avec quelque étonnement.

« Je vous assure que je ne sais rien; Poirot garde ses idées pour lui.

— C'est un homme avisé, déclara le colonel en riant. Il ne se livre pas. Ces détectives étrangers sont merveilleux et capables de toute espèce de combinaisons.

— Pong, dit Miss Ganett, d'un ton de triomphe tranquille, et Mah-jong. »

La situation devint plus tendue. Caroline était si dépitée d'avoir vu Miss Ganett déclarer Mah-jong pour la troisième fois qu'elle me dit, pendant que nous bâtissions un mur nouveau :

« Tu es très ennuyeux, James, tu restes assis là comme un Terme, sans rien dire.

— Mais, ma chère amie, je n'ai vraiment rien à dire, du moins sur le sujet auquel vous faites allusion.

— Allons donc ! rétorqua ma sœur, tout en arrangeant ses dominos. Tu dois certainement savoir quelque chose d'intéressant. »

Je ne répondis pas tout de suite car j'étais ébloui et stupéfait. Je savais qu'il existait une main appelée « les Grâces du Paradis », autrement dit Mah-jong de donne, mais je n'aurais jamais espéré l'avoir. Je posai mes dominos sur la table et déclarai d'un ton de triomphe modeste :

« Comme on dit au club de Shanghaï : les Grâces du Paradis ! »

Les yeux du colonel s'exorbitèrent.

« Sur ma vie ! s'écria-t-il. Quelle chose étonnante ! Je ne l'ai jamais vu se produire jusqu'ici ! »

Alors, excité par les sarcasmes de Caroline et grisé par mon succès, je repris imprudemment :

« Puisque vous voulez apprendre un fait intéressant, que penseriez-vous de la découverte d'une alliance portant une date gravée à l'intérieur et les mots « donné par R » ? »

Je ne décrirai pas l'émoi qui s'ensuivit. On me fit raconter où la bague avait été trouvée et on me fit avouer la date.

« 13 mars ! dit Caroline. Il y a juste six mois. Ah ! »

Trois opinions finirent par surnager au milieu d'une foule de suppositions :

1° Celle qui fut émise par le colonel Carter : Ralph était marié en secret à Flora. C'était la solution la plus simple.

2° Celle de Miss Ganett : Roger Ackroyd avait épousé clandestinement Mme Ferrars.

3° Celle de ma sœur : Roger Ackroyd avait épousé sa gouvernante, Miss Russell.

Une quatrième hypothèse fut émise un peu plus tard par Caroline, comme nous nous apprêtions à nous retirer dans nos chambres.

« Retiens bien mes paroles, dit-elle brusquement, je ne serais pas étonnée que Geoffroy Raymond et Flora fussent mariés.

— Mais alors il y aurait G et non R dans l'anneau.

— Ce n'est pas une preuve. Certaines jeunes filles désignent les hommes par leur nom de famille. Tu as entendu ce que Miss Ganett a dit, ce soir, au sujet de la légèreté de Flora. »

Je n'avais, en réalité, entendu Miss Ganett faire aucune allusion à ce sujet, mais je respectais la connaissance qu'avait Caroline des pensées cachées.

« Et Hector Blunt ? suggérai-je. S'il y a quelqu'un...

— C'est insensé ! Il est possible qu'il l'admire... même qu'il soit épris d'elle; mais crois-moi : une jeune fille ne devient pas amoureuse d'un homme qui pourrait être son père, lorsqu'il y a un charmant jeune secrétaire aux environs. Flora a pu encourager le major pour donner le change; ces jouvencelles sont fort malignes. Mais il y a une chose que je puis t'affirmer, James Sheppard : Flora Ackroyd ne se soucie aucunement et ne s'est jamais souciée de Ralph Paton. Tu peux m'écouter sur ce point. »

Je l'écoutai, avec humilité.

CHAPITRE XVII

PARKER

Je me rendis compte, le lendemain matin, que sous l'influence de l'enthousiasme qu'avaient éveillé en moi les « Grâces du Paradis » j'avais été indiscret. Il est vrai que Poirot ne m'avait pas demandé de garder pour moi la découverte de la bague. D'un autre côté, il n'en avait pas soufflé mot pendant qu'il était à Fernly et je croyais bien avoir été, jusqu'à ce moment, la seule personne au courant de cet incident. Je me sentais nettement coupable, car l'histoire devait actuellement se répandre dans King's Abbot avec la rapidité de l'éclair et je m'attendais à chaque instant à recevoir des reproches de Poirot.

Les doubles obsèques de Mme Ferrars et de Roger Ackroyd étaient fixées à onze heures. Ce fut une imposante et mélancolique cérémonie. Tous les hôtes de Fernly étaient présents. Lorsque tout fut fini, Poirot qui s'y trouvait également, me prit par le bras et me convia à l'accompagner aux « Mélèzes ».

Il avait l'air très grave et je craignis que mon indiscrétion de la veille ne fût parvenue à ses oreilles, mais je m'aperçus bientôt que ses préoccupations avaient un tout autre objet.

« Voyez-vous, dit-il, nous devons agir; avec votre aide je me propose d'interroger un témoin. Nous lui poserons tant de questions et nous lui ferons tellement peur que la vérité éclatera.

— De quel témoin parlez-vous ? demandai-je fort étonné.

— De Parker, dit Poirot. Je l'ai prié de se trouver aujourd'hui chez moi, à midi, et il doit nous y attendre.

— Que croyez-vous donc ? hasardai-je en le regardant de côté.

— Rien; je n'ai encore aucune certitude.

— Vous pensez que c'est lui qui tourmentait Mme Ferrars ?

— Soit lui, soit...

— Eh bien ? demandai-je après avoir attendu quelques instants.

— Mon ami, voici tout ce que je puis vous dire : j'espère que c'était lui. »

La gravité de ses manières et quelque chose d'indéfinissable dans sa voix, me réduisirent au silence.

A notre arrivée aux « Mélèzes », nous fûmes avertis que Parker était là. Lorsque nous entrâmes au salon, le maître d'hôtel se leva respectueusement.

« Bonjour, Parker, dit aimablement Poirot. Une minute, je vous prie. »

Il enleva son pardessus et ses gants.

« Que monsieur me permette », s'écria Parker en se précipitant pour l'aider et en déposant soigneusement les vêtements sur une chaise près de la porte.

Poirot le regarda d'un air approbateur.

« Merci, mon bon Parker. Ne voulez-vous pas

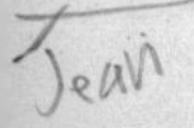

prendre un siège ? Ce que j'ai à vous dire durera sans doute assez longtemps. »

Parker s'assit en saluant pour s'excuser.

« Pourquoi croyez-vous que je vous ai demandé de venir ici, ce matin ?

— J'ai pensé que monsieur voulait me poser en particulier quelques questions concernant mon défunt maître.

— Précisément, répondit Poirot d'un air enjoué... Vous devez savoir comment on pratique un chantage !

— Monsieur ! »

Le maître d'hôtel bondit sur ses pieds.

« Ne vous agitez pas, continua Poirot placidement, et ne prenez pas l'attitude de l'honnête homme insulté. Le chantage n'a pas de secrets pour vous, n'est-ce pas ?

— Monsieur, je... je n'ai jamais été...

— Injurié d'une telle manière, suggéra Poirot, alors pourquoi, excellent Parker, étiez-vous si désireux de surprendre la conversation qui avait lieu dans le cabinet de travail de M. Ackroyd, l'autre soir, celle au cours de laquelle vous avez entendu le mot chantage ?

— Je n'étais pas... je...

— Qui donc a été votre dernier maître ? demanda brusquement Poirot.

— Mon dernier maître ?

— Oui, la personne chez laquelle vous étiez avant d'entrer au service de M. Ackroyd.

— Le major Ellerby, monsieur. »

Poirot lui arracha, pour ainsi dire, les mots de la bouche.

« En effet, le major Ellerby. Il se piquait à la morphine, n'est-ce pas ? Vous avez voyagé avec lui, et pendant qu'il était aux Bermudes, il a été mêlé à une affaire de meurtre dont il a été considéré comme responsable en partie. La chose fut étouffée, mais vous étiez au courant. Combien vous a donné le major Ellerby pour que vous vous taisiez ? »

Parker le regardait bouche bée. Il tremblait de tous ses membres.

« Vous voyez que j'ai fait mon enquête, reprit Poirot. Tout ce que je vous dis là est absolument exact; vous avez reçu une forte somme et le major Ellerby a continué à vous payer jusqu'à sa mort. Je veux maintenant connaître les détails de votre dernière entreprise. »

Parker le regardait toujours sans répondre.

« Inutile de nier. Hercule Poirot sait. Vous voyez bien que ce que je viens de vous dire au sujet du major Ellerby est vrai, n'est-ce pas ? »

Parker, subjugué, inclina la tête. Son visage était livide.

« Mais je n'ai pas touché un cheveu de la tête de M. Ackroyd, gémit-il. Devant Dieu je le jure. J'ai craint sans cesse qu'il ne soit mis au courant des faits dont vous venez de parler mais je vous affirme que je ne l'ai pas... que je ne l'ai pas tué. »

Il criait presque.

« Je suis tenté de vous croire, mon ami, dit Poirot, vous n'avez pas assez de courage. Mais il faut que je connaisse la vérité.

— Je vous dirai, monsieur, tout ce que vous voudrez savoir. Il est vrai que j'ai essayé d'écouter ce soir-là, car un mot ou deux avaient piqué ma curiosité, ainsi que l'attitude de M. Ackroyd qui s'était enfermé avec le docteur et ne voulait pas être dérangé; mais ce que j'ai dit à la police est la vérité même. J'ai entendu le mot chantage, monsieur, et... »

Il s'arrêta.

« Et vous avez pensé qu'il pouvait y avoir là quelque chose à glaner pour vous, suggéra Poirot doucement.

— Eh bien... oui, monsieur; j'ai pensé que si l'on faisait chanter M. Ackroyd, je pourrais sans doute en tirer quelque profit. »

Une étrange expression passa sur le visage de Poirot, qui se pencha en avant.

« Aviez-vous eu l'occasion de supposer auparavant que M. Ackroyd était soumis à un chantage ?

— Certainement non, monsieur; j'ai même été très étonné... un homme si régulier dans ses habitudes !

— Mais qu'avez-vous entendu ?

— Très peu de chose, monsieur; il semblait y avoir un sort contre moi : j'avais à faire mon service à l'office et quand je pus, une ou deux fois, m'approcher du cabinet de travail, cela ne me servit à rien. La première fois le docteur Sheppard sortit et me surprit; puis ce fut M. Raymond qui me croisa dans le grand hall et se dirigea de ce côté; enfin, quand je m'approchai avec le plateau, Miss Flora m'obligea à me retirer. »

Poirot contempla l'homme longuement, comme pour éprouver sa sincérité. Parker soutint son regard.

« J'espère que vous me croyez, monsieur. J'ai redouté depuis le début que la police ne mît la main sur cette vieille histoire du major Ellerby et n'en vînt à me soupçonner.

— Eh bien, dit enfin Poirot, je suis disposé à vous croire, mais il faut que je vous demande encore une chose. Montrez-moi votre carnet de banque, car vous avez un carnet de banque, je présume.

— Oui, monsieur, je l'ai même sur moi. » Et, sans la moindre inquiétude, il le sortit de sa poche.

Poirot prit le mince petit livre vert et en examina les entrées.

« Ah ! je vois que vous avez acheté pour 500 livres de bons nationaux cette année !

— Oui, monsieur, j'ai déjà plus de 1 000 livres d'économies qui proviennent de... mes... relations avec mon ancien maître, le major Ellerby. Puis, j'ai joué aux courses avec succès, cette année. Si vous vous en souvenez c'est un outsider qui a gagné le jubilé. Je fus assez heureux pour miser vingt livres sur lui. »

Poirot lui rendit son carnet.

« Eh bien, au revoir, Parker. Je crois que vous m'avez dit la vérité; si je me trompe... tant pis pour vous, mon ami. »

Lorsque le maître d'hôtel fut sorti, Poirot reprit son pardessus.

« Vous partez encore ? demandai-je.

— Oui, nous allons faire une visite à l'excellent M. Hammond.

— Vous croyez au récit de Parker ?

— Il est assez vraisemblable. Il paraît évident, à moins qu'il ne soit un acteur de premier ordre, qu'il croyait vraiment que c'était Ackroyd qui avait été victime d'un chantage. Dans ce cas il ignore complètement toute l'affaire concernant Mme Ferrars.

— Mais alors qui... ?

— Précisément : qui ? Notre visite à M. Hammond va nous permettre de fixer un point; elle mettra complètement Parker hors de cause, ou bien...

— Ou bien ?

— Je prends la mauvaise habitude de ne pas terminer mes phrases, ce matin, dit Poirot en manière d'excuse, ne faites pas attention.

— A propos, déclarai-je un peu timidement, j'ai une confession à vous faire. J'ai, par inadvertance, parlé de cette bague...

— Quelle bague ?

— Celle que vous avez trouvée dans l'étang des poissons rouges.

— Ah ! oui, répondit Poirot avec un large sourire.

— J'espère que vous n'êtes pas contrarié. J'ai agi fort légèrement.

— Pas du tout, mon bon ami, pas du tout. Je ne vous ai fait aucune recommandation à ce sujet et vous étiez libre de raconter cette découverte si vous le désiriez. A-t-elle intéressé votre sœur ?

— Je crois bien, mon récit a fait sensation et toutes sortes d'hypothèses se sont fait jour.

— Vraiment ? Pourtant c'est si simple. L'explication saute aux yeux.

— En vérité ? » déclarai-je sèchement.

Poirot se mit à rire.

« L'homme avisé ne se compromet pas, observa-t-il. Mais nous voici arrivés chez M. Hammond. »

L'avoué était dans son cabinet et nous fûmes introduits sans retard. Il se leva et nous accueillit de la manière sèche et précise qui lui était habituelle.

Poirot vint immédiatement au fait.

« Monsieur, je désirerais obtenir de vous quelques renseignements, si vous voulez bien avoir la bonté de me les donner. D'après ce que je crois savoir, vous étiez l'avoué de feue Mme Ferrars, de King's Paddock ? »

Je remarquai l'éclair de surprise qui s'alluma dans les yeux de l'homme de loi avant que sa réserve professionnelle vînt remettre un masque sur son visage.

« Certainement. Toutes ses affaires passaient par mes mains.

— Fort bien. Maintenant avant de vous poser aucune question, je désire que vous écoutiez le récit que le docteur Sheppard va vous faire. Vous ne voyez, j'espère, mon ami, aucune objection à répéter la conversation que vous avez eue avec M. Ackroyd, dans la soirée de vendredi dernier ?

— Aucune », répondis-je, et je me mis en devoir de relater les événements de ce jour mémorable.

Hammond m'écouta très attentivement.

« C'est tout, dis-je enfin.

— Chantage ! murmura pensivement l'avoué.

— Cela vous étonne ? » demanda Poirot.

L'homme de loi enleva son pince-nez et l'essuya avec son mouchoir.

« Non, répliqua-t-il, pas absolument. Depuis quelque temps l'idée m'en était venue.

— Ceci nous amène, déclara Poirot, au renseignement que je désire, car si quelqu'un peut nous apprendre le montant des sommes que Mme Ferrars a payées, c'est bien vous, monsieur.

— Je ne vois aucune raison pour ne pas vous répondre, dit Hammond après avoir réfléchi un moment. Au cours de la dernière année, Mme Ferrars a vendu diverses valeurs; l'argent lui a été remis et elle ne l'a pas placé. Comme ses revenus étaient considérables et comme elle vivait très simplement depuis la mort de son mari, il paraît évident que ces sommes qu'elle a ainsi touchées, ont reçu d'elle une destination spéciale. Je l'ai interrogée une fois à ce sujet et elle m'a répondu qu'elle avait à sa charge des parents pauvres de M. Ferrars. Bien entendu, je n'ai pas insisté et j'ai cru, jusqu'à présent, qu'il s'agissait d'une femme ayant des droits sur Ashley Ferrars. Je n'aurais jamais pensé qu'il s'agissait de Mme Ferrars elle-même.

— Quel était le montant de ces sommes ? demanda Poirot.

— En tout, je crois qu'elles atteignaient au moins vingt mille livres.

— Vingt mille livres en un an !

— Mme Ferrars était très riche, déclara Poirot d'un ton sec, et les sanctions auxquelles s'exposent les criminels ne sont pas légères.

— Puis-je vous fournir d'autres renseignements ? demanda M. Hammond.

— Non, je vous remercie, répondit Poirot, en se levant. Je vous fais mes excuses de vous avoir dérangé.

— Pas du tout, pas du tout.

— Eh bien, que devient notre ami Parker dans cette affaire ? reprit le détective lorsque nous fûmes sortis. Avec vingt mille livres à sa disposition, croyez-vous qu'il serait resté maître d'hôtel ? Je ne le pense pas. Il est évidemment possible qu'il ait placé cet argent sous un autre nom que le sien, mais je suis d'avis qu'il ne nous a pas menti. C'est un coquin, mais un coquin aux conceptions modestes. Cela ne nous laisse plus en face que de Raymond... ou du major Blunt.

— Ce n'est sûrement pas Raymond, objectai-je, puisque nous savons qu'il lui manquait cinq cents livres pour payer ses dettes.

— C'est du moins ce qu'il nous a dit.

— Quant à Hector Blunt...

— Je vais vous révéler quelque chose à propos de cet excellent major, interrompit Poirot. Mon métier, consistant à faire des enquêtes, je les fais. Eh bien, l'héritage dont il a parlé, se monte, je l'ai découvert, à environ vingt mille livres. Qu'en pensez-vous ? »

Je fus si stupéfait que je ne pus parler.

« C'est impossible, déclarai-je enfin. Un homme aussi connu qu'Hector Blunt ! »

Poirot haussa les épaules.

« Qui sait ? C'est au moins un homme qui a de l'envergure. J'avoue que je vois difficilement en lui un maître chanteur; il y a, du reste, une autre hypothèse que vous n'avez jamais envisagée.

— Laquelle ?

— Le feu, mon ami. Ackroyd lui-même peut avoir détruit la lettre et son enveloppe bleue après votre départ.

— Je ne crois pas que ce soit probable, dis-je lentement, et pourtant... c'est possible. Il a pu changer d'avis. »

Nous arrivions chez moi et, sous l'empire d'une brusque impulsion, j'invitai Poirot à entrer et à partager notre déjeuner.

Je pensais que Caroline serait contente, mais il est vraiment difficile de satisfaire les femmes. J'appris que nous devions manger des côtelettes à déjeuner, tandis que pour l'office, il y avait un plat de tripes aux oignons. Or, deux côtelettes pour trois personnes paraissaient un peu insuffisantes.

Mais Caroline ne se laisse pas longtemps démonter. Avec un aplomb magnifique, elle expliqua au détective qu'elle suivait un régime végétarien, bien que James se moquât d'elle. Elle disserta avec enthousiasme sur les côtelettes de noix (je suis pourtant certain qu'elle n'en a jamais mangé) et parut se régaler de légumes, tout en faisant des réflexions virulentes sur les dangers que présente l'alimentation carnée.

En sortant de table, ma sœur attaqua nettement Poirot.

« Vous n'avez pas encore trouvé Ralph Paton ? demanda-t-elle.

— Où pourrais-je le trouver, mademoiselle ?

— Je pensais que peut-être vous l'auriez découvert à Cranchester. »

Poirot parut stupéfait.

« A Cranchester ? Pourquoi à Cranchester ? »

Je l'éclairai un peu malicieusement.

« Un membre de notre corps, si bien constitué, de détectives privés, vous a vu hier, dans une automobile, sur la route de Cranchester. »

L'étonnement de Poirot se dissipa et il rit franchement.

« Ah ! fort bien ! Une simple visite au dentiste. J'avais une dent malade, je l'ai fait arracher. Cette dent ne me fera plus jamais souffrir. »

Caroline fut absolument décontenancée. Puis nous nous mîmes à parler de Ralph Paton.

« Il a une nature faible, mais pas vicieuse.

— Oui, dit Poirot, mais où s'arrête la faiblesse ?

— Justement, repartit ma sœur. Voyez James, il serait la faiblesse même si je n'étais pas là pour m'occuper de lui.

— Ma chère Caroline, répliquai-je d'un ton irrité, ne peux-tu donc plus parler sans faire de personnalités ?

— Mais tu es faible, James, dit Caroline, sans se laisser émouvoir; j'ai huit ans de plus que toi... il m'est tout à fait égal que M. Poirot le sache...

— Je n'aurais jamais deviné cela, mademoiselle, déclara le détective, en lui faisant un galant salut.

— Huit ans de plus et j'ai toujours considéré qu'il était de mon devoir de veiller sur toi. Si tu avais été mal élevé, Dieu sait quelles sottises tu aurais pu faire !

— J'aurais peut-être épousé une belle aventurière, dis-je en regardant le plafond et en faisant des ronds de fumée.

— Une aventurière ! dit Caroline en ricanant. Si nous commençons à parler d'aventurières... »

Elle n'acheva pas sa phrase.

« Eh bien ? demandai-je avec curiosité.

— Rien. Mais je pense qu'il y en a une non loin d'ici », puis elle ajouta, en se tournant brusquement vers Poirot :

« James dit que vous persistez à croire que le crime a été commis par une personne habitant la maison. Vous avez peut-être tort.

— Je voudrais ne pas avoir tort, répondit le détective, mon métier est d'avoir raison.

— Je connais assez bien les détails de l'affaire, continua ma sœur, sans s'arrêter à l'observation de Poirot, soit par James, soit par d'autres. Autant que je puis m'en rendre compte, deux personnes seulement ont eu le temps d'agir : Ralph Paton et Flora Ackroyd.

— Ma chère Caroline...

— Ne m'interromps pas, James, je sais ce que je dis. Parker l'a rencontrée en dehors du cabinet de travail, n'est-ce pas ? Il n'a pas entendu son oncle lui dire bonsoir. Elle pouvait l'avoir déjà tué !

— Caroline !

— Je ne dis pas qu'elle l'a fait, James, je dis simplement qu'elle aurait pu le faire. Evidemment, bien que Flora soit comme toutes les jeunes filles modernes qui ne professent aucun respect pour leurs aînés et qui croient tout connaître, je ne pense pas qu'elle serait capable de tuer, même un poulet. Il n'en est pas moins vrai que les choses se présentent ainsi : M. Raymond et le major Blunt ont des alibis, Mme Ackroyd aussi; cette femme Russell elle-même paraît en avoir un... ce qui est fort heureux pour elle. Alors qui reste-t-il ? Ralph et Flora seulement. Or, quoi que vous en disiez, je ne croirai jamais que Paton soit un assassin. Un garçon que nous avons connu toute sa vie ! »

Poirot demeura silencieux un instant, contemplant la fumée qui montait de sa cigarette. Lorsqu'il parla, ce fut d'une voix douce et lointaine qui produisit sur nous une étrange impression et qui était très différente de sa voix habituelle.

« Prenons un homme, dit-il, un homme ordinaire, dont l'esprit n'a jamais été traversé par aucune pensée de meurtre. Il y a en lui une certaine faiblesse qui ne s'est jamais révélée et qui n'aura peut-être jamais l'occasion de se manifester. S'il en est ainsi, il achèvera son existence, respecté et honoré par tous. Mais supposons qu'il se produise un incident... un embarras pécuniaire, par exemple, ou encore qu'il soit accidentellement mis au courant d'un secret d'une importance capitale. Son premier mouvement sera de parler, de faire son devoir d'honnête citoyen... mais alors la faiblesse se fait jour... il voit l'occasion d'obtenir, sans effort, une somme... une très grosse somme. Il a besoin d'argent, il désire s'en procurer et c'est si facile ! Il n'a qu'à se taire. Voilà le commencement. Puis son besoin d'argent grandit. Il lui en faut de plus en plus, il est grisé par la vue de la mine d'or qui s'est creusée d'elle-même sous ses pieds. Ses exigences augmentent et il dépasse le but ! On peut pressurer un homme éternellement... mais pas une femme ! Car, les femmes gardent au fond du cœur, un grand désir de vérité. Combien y a-t-il de maris qui, ayant trompé leur compagne, emportent sans remords leur secret dans la tombe ! Mais combien y a-t-il de femmes qui, ayant trompé leur mari, détruisent leur bonheur en avouant leur faute ! Elles ont trop souffert de leur dissimulation et, un jour, dans un moment de découragement, qu'elles regrettent ensuite, bien entendu, elles font bon marché de leur sécurité et proclament la vérité, ce qui leur procure, momentanément, un grand soulagement. Tel a été, je crois, le cas qui nous occupe; l'épreuve est devenue trop cruelle et celui qui en avait profité, a tué la poule aux œufs d'or. Mais ce n'est pas tout. L'homme dont nous parlons était menacé de se voir découvert. Or, il s'est modifié depuis... mettons un an. Sa moralité est complètement émoussée, il est désespéré car il considère qu'il a manifestement perdu la partie et il est prêt à employer tous les moyens pour éviter d'être confondu... Alors... le poignard fait son œuvre ! »

Poirot se tut. On eût pu croire qu'il avait jeté un sort dans la pièce et je serais incapable de décrire l'impression que ses paroles avaient produite sur ma sœur et sur moi. Son analyse impitoyable et sa puissance de déduction nous frappaient de crainte tous les deux.

« Ensuite, reprit-il à mi-voix, le danger écarté, l'homme redevient ce qu'il était, c'est-à-dire normal et bon; mais si la nécessité s'en faisait encore sentir il frapperait de nouveau ! »

Caroline se ressaisit enfin.

« Vous parlez de Ralph Paton, dit-elle, je ne sais si vous avez raison ou si vous vous trompez, mais vous n'avez pas le droit de condamner un homme sans l'entendre. »

A ce moment la sonnerie du téléphone retentit. Je sortis dans le vestibule et je décrochai le récepteur.

« Comment ? dis-je. Oui. Ici le docteur Sheppard. »

J'écoutai pendant une ou deux minutes et répondis brièvement, puis, raccrochant, je rentrai dans le salon.

« Poirot, dis-je, on a arrêté, à Liverpool, un homme appelé Charles Kent que l'on croit être l'inconnu que j'ai rencontré vendredi soir à la grille de Fernly. On me demande de partir immédiatement pour Liverpool, afin de l'identifier. »

CHAPITRE XVIII

CHARLES KENT

UNE demi-heure plus tard, Poirot, l'inspecteur Raglan et moi, nous nous trouvions dans le train, en route pour Liverpool. L'inspecteur était fort agité.

« Nous allons sans doute être fixés en ce qui concerne, au moins, le chantage, déclara-t-il avec joie. D'après ce que l'on m'a dit au téléphone, cet homme ne vaut pas cher; de plus, c'est un amateur de drogues. Il ne nous sera donc, probablement, pas difficile de le faire parler. S'il a eu l'ombre d'un motif pour commettre le crime, il est fort possible qu'il ait tué M. Ackroyd. Mais, dans ce cas, pourquoi le jeune Paton se cache-t-il ? Toute l'affaire est fort embrouillée. A propos, vous aviez raison au sujet des empreintes, monsieur Poirot; ce sont bien celles des doigts de M. Ackroyd lui-même. J'en avais eu l'idée, mais je l'avais écartée comme invraisemblable. »

Je souris. L'inspecteur Raglan sauvait la face.

« Cet homme n'est pas encore emprisonné, n'est-ce pas ? demanda Poirot.

— Non, il est provisoirement retenu.

— Que dit-il pour sa défense ?

— Peu de chose; je crois qu'il est très méfiant; il se répand en invectives, sans plus. »

Lorsque nous arrivâmes à Liverpool, je fus fort étonné de constater l'accueil qui était fait à Poirot. Le surintendant Hayes, qui vint à notre rencontre, avait travaillé avec lui et avait, manifestement, une admiration exagérée pour ses mérites.

« Maintenant que M. Poirot est ici, ce ne sera pas long, déclara-t-il gaiement. Je croyais que vous vous étiez retiré, monsieur ?

— En effet, mon cher Hayes, en effet. Mais l'inaction est bien monotone ! Vous ne pouvez vous figurer à quel point !

— Je le crois aisément. Donc vous êtes venu voir l'individu que nous avons découvert. Monsieur est sans doute le docteur Sheppard ? Pensez-vous que vous pourrez identifier notre homme ?

— Je n'en suis pas sûr, répondis-je dubitativement.

— Comment l'avez-vous appréhendé ? demanda Poirot.

— Ainsi que vous devez le savoir, son signalement approximatif avait été envoyé partout. Il n'était pas très précis, mais ce garçon a un accent américain et ne nie pas qu'il s'est trouvé aux environs de King's Abbot, ce soir-là. Il demande ce que cela peut nous faire et déclare qu'il nous enverra au diable plutôt que de répondre à nos questions.

— Me sera-t-il permis de le voir aussi ? » demanda Poirot.

Le surintendant cligna de l'œil.

« Nous sommes fort heureux que vous soyez ici,

monsieur, et vous pouvez agir comme bon vous semblera. L'inspecteur Japp, de Scotland Yard, me demandait de vos nouvelles, l'autre jour; il m'a appris que vous vous occupiez de cette affaire... Pourriez-vous me dire où se cache le capitaine Paton ?

— Ce n'est pas le moment », répondit Poirot et je me mordis les lèvres pour cacher un sourire.

Après quelques préliminaires, nous fûmes introduits dans la pièce où se trouvait l'homme que la police gardait à sa disposition. Il ne devait pas avoir plus de vingt-deux ou vingt-trois ans; il était grand et mince; ses mains tremblaient visiblement. On sentait que sa force physique était amoindrie. Ses cheveux étaient noirs, mais il avait des yeux bleus vacillants et regardait rarement en face la personne qui lui parlait. J'avais toujours conservé l'idée que l'étranger me rappelait quelqu'un que je connaissais, mais si cet homme était bien celui que j'avais rencontré, j'avais dû me tromper car je ne lui trouvais aucune ressemblance avec qui que ce fût.

« Allons, Kent, dit le surintendant, levez-vous. Voici des visites pour vous. Reconnaissez-vous un de ces messieurs ? »

Kent nous regarda d'un air sombre, mais ne répondit pas; je vis ses yeux se poser successivement sur nous trois puis revenir vers moi.

« Eh bien, monsieur, me demanda Hayes, qu'en pensez-vous ?

— Il a la taille et l'aspect général de l'homme dont j'ai parlé, mais je ne puis rien affirmer de plus.

— Que diable signifie tout ceci ? s'écria Kent. Qu'avez-vous à me reprocher ? Allons, parlez, de quoi m'accusez-vous ? »

J'inclinai la tête.

« C'est bien l'homme, déclarai-je, je reconnais sa voix.

— Vraiment ! vous reconnaissez ma voix ? Où croyez-vous qu' vous l'avez entendue ?

— Dans la soirée de vendredi dernier, à la grille de Fernly Park. Vous m'avez demandé de vous indiquer le chemin.

— En vérité !

— Avouez-vous ? demanda l'inspecteur.

— J' n'avoue rien jusqu'à ce que je sache c' qu' vous m' reprochez.

— N'avez-vous donc pas lu les journaux ces jours derniers ? » demanda Poirot, prenant la parole pour la première fois.

Les yeux de l'homme clignèrent.

« Ah ! c'est donc ça ! J'ai lu qu'un vieux monsieur avait été fait à Fernly. Vous voulez savoir si c'est moi qu'a commis l' crime ?

— Vous étiez là le même soir, dit tranquillement Poirot.

— Comment l'savez-vous, monsieur ?

— Grâce à ceci. »

Le détective prit un objet dans sa poche et le lui tendit. C'était la plume qu'il avait trouvée dans le pavillon. A sa vue le visage de l'homme changea d'expression et il étendit la main.

« Non, mon ami, dit Poirot d'un ton pensif, le tuyau de cette plume est vide, je l'ai ramassée à l'endroit où vous l'avez laissée tomber, dans le pavillon, ce soir-là. »

Charles Kent le regarda d'un air hésitant.

« Vous semblez connaît' bien des choses, p'tit coq étranger, mais rapp'lez-vous : les journaux ont dit que l'vieux a été tué entre dix heures moins l' quart et dix heures.

— C'est exact, acquiesça Poirot.

— Oui, mais c'est-y vrai ? V'là ce que je cherche à savoir.

— Monsieur vous le dira », déclara Poirot.

Il montra l'inspecteur Raglan. Ce dernier hésitant, regarda le surintendant Hayes, puis Poirot, et enfin, comme s'il avait reçu une autorisation, dit :

« C'est bien cela : entre dix heures moins un quart et dix heures.

— Alors, y a aucune raison pour qu' vous m' gardiez ici, affirma Kent, car j'ai quitté Fernly Park à 9 h 25, vous pouvez demander ça au « Chien et au Sifflet »; c'est une auberge qu'est à un kilomètre environ de Fernly Park sur la route de Cranchester. Je m' souviens qu' j'y ai fait un peu de bruit aux environs de dix heures moins l' quart. Qu'en dites-vous ? »

L'inspecteur Raglan écrivit quelques mots sur son calepin.

« Eh bien ? demanda Kent.

— Nous ferons une enquête, répondit l'inspecteur. Si vous avez dit la vérité, vous n'aurez à vous plaindre de rien. Mais que faisiez-vous à Fernly Park ?

— J' suis allé là pour voir quelqu'un.

— Qui ?

— Ça ne vous regarde pas.

— Vous ferez bien d'être poli, mon garçon, lui conseilla le surintendant.

— Au diable, la politesse. J' suis allé à Fernly pour mes affaires et v'là tout. Puisque j'étais parti avant l'heure du crime; l' reste n' concerne pas les flics.

— Votre nom est-il bien Charles Kent ? demanda Poirot. Où êtes-vous né ? »

L'homme le regarda en grimaçant.

« J' suis un Anglais pur sang.

— Je le crois, dit Poirot. Je m'imagine même que vous êtes né dans le comté de Kent. »

L'inconnu parut stupéfait.

« Pourquoi ? A cause de mon nom ? Quel rapport ça a-t-il ? Parce qu'un homme s'appelle Kent, est-il forcé d'être né dans ce comté ?

— Sous l'influence de certaines circonstances, j'imagine aisément qu'il peut en être ainsi, rétorqua Poirot délibérément, sous l'influence de certaines circonstances, vous comprenez ? »

Sa voix paraissait avoir une expression tellement significative que les deux officiers de police en furent tout étonnés. Quant à Charles Kent, il rougit violemment et je crus, pendant un instant, qu'il allait se jeter sur Poirot. Mais il se ravisa et se détourna en faisant entendre un rire étrange.

Poirot hocha la tête comme s'il était satisfait et sortit.

Les deux policiers le rejoignirent peu après.

« Nous vérifierons la déclaration de cet homme, fit observer Raglan. Cependant, je crois qu'il ne ment pas, mais il faudra qu'il nous explique sa présence à Fernly. Je ne serais pas surpris que nous ayons mis la main sur notre maître chanteur. Par contre, si son récit est exact, il n'a pas pu prendre part au meurtre. Il avait dix livres sur lui quand il a été arrêté; c'est une assez forte somme. Je m'imagine que les quarante livres ont dû lui être données; les numéros des billets ne correspondaient pas, mais il a évidemment pu les changer aussitôt. M. Ackroyd les lui a remis et il s'est sans doute enfui aussitôt que possible. Pourquoi lui avez-vous dit qu'il avait dû naître dans le comté de Kent ? Quelle relation cela peut-il avoir avec l'affaire ?

— Aucune, dit doucement Poirot, c'est une petite idée à moi, voilà tout. Or, je suis célèbre pour mes petites idées.

— Vraiment ? » demanda Raglan en le regardant d'un air intrigué.

Le surintendant éclata de rire.

« J'ai bien souvent entendu l'inspecteur Japp parler de M. Poirot et de ses petites idées, comme il les appelle. Elles sont trop fantaisistes pour moi, déclarait-il, mais elles correspondent toujours à une vérité.

— Vous vous moquez de moi, répliqua joyeusement Poirot, mais cela ne fait rien. C'est souvent au tour des vieux de rire les derniers, alors que les jeunes n'en ont plus envie. »

Et, hochant la tête d'un air entendu, il sortit dans la rue.

Nous déjeunâmes ensemble, dans un hôtel. Je sais maintenant que, dès ce moment-là, toute l'affaire n'avait plus de mystère pour lui. Il venait d'éclaircir le dernier détail qui lui manquait pour connaître la vérité. Mais, je ne m'en doutais pas. Je le croyais trop confiant en lui-même et je pensais que ce qui m'intriguait devait l'intriguer également. Je me demandais surtout pourquoi ce Charles Kent était allé à Fernly Park et je ne trouvais aucune réponse satisfaisante.

Enfin je me hasardai à questionner Poirot. Il me répondit immédiatement :

« Mon ami, je ne fais pas de conjectures : je sais.

— Vraiment ? dis-je, incrédule.

— Oui, vraiment. Je suppose que cela n'aura aucun sens pour vous, si je vous dis que cet homme est allé à Fernly Park parce qu'il est né dans le comté de Kent ? »

Je le regardai bouche bée et répondis sèchement : « Cela n'a, en effet, aucun sens pour moi.

— Ah ! s'exclama Poirot avec pitié, tant pis : j'ai toujours ma petite idée. »

CHAPITRE XIX

FLORA ACKROYD

Je rentrais de ma tournée, le lendemain matin, lorsque je fus interpellé par l'inspecteur Raglan. J'arrêtai ma voiture et celui-ci monta sur le marchepied.

« Bonjour, docteur Sheppard, dit-il, cet alibi est exact.

— Celui de Charles Kent ?

— Oui. La servante du bar, à l'auberge du « Chien et du Sifflet », se le rappelle parfaitement et l'a immédiatement désigné sur une photographie mêlée à cinq autres. Il était juste neuf heures quarante-cinq quand il est entré dans cet établissement qui se trouve à plus d'un kilomètre de Fernly Park. La jeune fille déclare qu'il avait une forte somme sur lui; elle l'a vu prendre des liasses de billets dans sa poche, ce qui l'a un peu étonnée car il avait des souliers complètement usés. Voilà certainement à qui sont allées les quarante livres.

— Est-ce que Kent refuse toujours d'expliquer sa visite à Fernly ?

— Il est têtu comme un mulet. J'ai causé avec Hayes par téléphone ce matin.

— Hercule Poirot déclare qu'il sait pourquoi cet homme s'est rendu à Fernly, observai-je.

— En vérité ! s'écria vivement l'inspecteur.

— Oui, dis-je malicieusement. Il affirme que c'est parce qu'il est né dans le comté de Kent. »

J'éprouvais un malin plaisir à faire partager ma déconvenue. Raglan me regarda un instant sans comprendre. Puis un sourire illumina sa figure de fouine et il se frappa le front d'un air significatif.

« Un peu timbré ! remarqua-t-il, je l'ai déjà pensé. Pauvre vieux, voilà pourquoi il a été obligé d'abandonner sa profession et de se retirer ici. Cela tient de famille d'ailleurs, car il a un neveu complètement fou.

— Pas possible ! m'écriai-je, fort étonné.

— Ne vous en a-t-il jamais parlé ? Je crois qu'il est tout à fait docile, mais il a complètement perdu la tête.

— Qui vous l'a dit ? »

Un nouveau sourire passa sur le visage de l'inspecteur :

« Mais c'est votre sœur, Miss Sheppard. »

Caroline est vraiment étonnante. Elle n'est satisfaite que lorsqu'elle connaît dans les moindres détails tous les secrets de famille. Malheureusement, je n'ai jamais pu lui inculquer l'idée de les garder pour elle.

« Montez, inspecteur, dis-je en ouvrant la portière. Nous irons ensemble jusqu'aux « Mélèzes » pour communiquer les dernières nouvelles à notre ami.

— Après tout, nous ferons peut-être bien, car, en admettant qu'il soit un peu marteau, il m'a donné une indication fort utile au sujet des empreintes. Il peut se tromper en ce qui concerne le nommé Kent, mais qui sait ?... ce qu'il a dit cache peut-être quelque chose d'intéressant. »

Poirot nous reçut avec son affabilité habituelle et nous écouta en hochant la tête de temps à autre.

« Cela paraît inexplicable, n'est-ce pas ? dit l'inspecteur d'un air assez sombre. Un homme ne peut pas assassiner quelqu'un pendant qu'il boit dans un bar, à un kilomètre plus loin.

— Allez-vous le relâcher ?

— Je crois que nous ne pouvons pas faire autrement car il nous est difficile, sans preuves, de l'accuser d'avoir extorqué de l'argent. »

L'inspecteur jeta, avec découragement, une allumette dans la cheminée. Poirot la ramassa et la mit avec soin dans un récipient réservé à cet usage. Son geste avait été absolument machinal et je me rendais compte que ses pensées étaient fort lointaines.

« À votre place, je ne relâcherais pas encore Charles Kent.

— Que voulez-vous dire ?

— Pas autre chose que ce que je dis : je ne le relâcherais pas encore.

— Vous ne croyez pas qu'il soit mêlé au crime ?

— Je ne le pense pas, mais je n'en suis pas absolument sûr.

— Cependant, je viens de vous dire... »

Poirot leva la main en signe de protestation.

« Mais oui, mais oui; j'ai entendu, je ne suis pas

sourd, ni idiot, grâce au Ciel. Mais voyez-vous, vous prenez l'affaire par le mauvais bout. »

L'inspecteur continua à le regarder sans comprendre

« Je ne saisis pas ce que vous voulez dire. Voyons, nous savons que M. Ackroyd était vivant à neuf heures quarante-cinq. Je pense que vous admettez cela ? »

Poirot le regarda un instant, puis secoua la tête et son visage fut traversé d'un fugitif sourire.

« Je n'admets rien qui ne soit *prouvé* !

— Mais nous en avons la preuve par la déposition de Miss Ackroyd !

— Qui a dit avoir souhaité le bonsoir à son oncle. Mais... je ne crois pas toujours ce que me dit une jeune fille... pas même lorsqu'elle est belle et charmante !

— Allons donc ! Parker l'a vue sortir du cabinet de travail.

— Non. La voix de Poirot se fit brusque. Justement il ne l'a pas vue ! je m'en suis assuré, l'autre jour, grâce à une petite expérience. Vous vous souvenez, docteur ? Parker l'a vue en *dehors* de la pièce, la main sur le bouton de la porte, il n'a pas constaté qu'elle sortait du cabinet.

— Mais... d'où aurait-elle pu venir ?

— De l'escalier peut-être.

— De l'escalier ?

— Oui; voilà l'une de mes petites idées.

— Mais cet escalier ne conduit qu'à la chambre à coucher de M. Ackroyd !

— Précisément. »

L'inspecteur était de plus en plus stupéfait.

« Vous croyez qu'elle était montée dans la chambre

de son oncle ? C'est possible; mais pourquoi aurait-elle menti à ce sujet ?

— Ah ! voilà justement la question. Tout dépend de ce qu'elle faisait là-haut.

— Vous voulez parler de... l'argent ? Vous n'insinuez pas que Miss Ackroyd a pris les quarante livres ?

— Je n'insinue rien, dit Poirot, mais je vous rappelle ceci : la vie n'était pas très facile pour la mère et la fille. Elles avaient des dettes et étaient sans cesse préoccupées au sujet de petites sommes. D'autre part, Roger Ackroyd avait des idées spéciales à ce sujet et il est fort possible que Miss Flora ait été affolée par la nécessité de trouver un peu d'argent. Imaginez ce qui a pu se passer : elle a pris les billets et elle descend le petit escalier; elle n'est pas encore parvenue à la dernière marche lorsqu'elle entend un bruit de verres dans le hall. Elle sait ce que cela signifie, Parker arrive. Il ne faut absolument pas qu'il la trouve dans l'escalier car il serait étonné et s'en souviendrait, lorsqu'on découvrirait le vol. Elle a juste le temps de courir jusqu'à la porte du cabinet de travail et d'en saisir la poignée pour faire croire qu'elle en sort, lorsque Parker se montre sur le seuil. Elle lui dit la première chose qui lui passe par l'esprit; elle répète les ordres donnés par M. Ackroyd au début de la soirée, puis elle monte dans sa propre chambre.

— Admettons cela, répondit l'inspecteur, mais ensuite elle a dû se rendre compte de l'importance considérable que présentait la vérité. L'affaire tout entière repose sur ce détail !

— Ensuite, déclara sèchement Poirot, les choses sont devenues un peu difficiles pour Miss Flora. On lui a dit d'abord qu'il y avait eu vol et que la police venait d'arriver. Elle a naturellement conclu que la disparition des quarante livres avait été constatée et elle n'a eu qu'une pensée : s'en tenir à son premier récit, mais lorsqu'elle a appris la mort de son oncle, elle a été terrifiée. De nos jours les jeunes filles ne s'évanouissent pas sans avoir éprouvé une violente émotion. Donc, vous voyez, elle a été placée en face du dilemme suivant : maintenir sa version ou tout avouer. Or, une jolie demoiselle n'aime pas reconnaître qu'elle n'est qu'une voleuse... surtout devant ceux dont elle désire conserver l'estime ! »

Raglan frappa la table de son poing.

« Je ne puis le croire ! Ce... ce n'est pas vraisemblable. Avez-vous eu cette idée dès le début ?

— Elle m'est venue tout de suite, avoua Poirot, car j'ai toujours été convaincu que Miss Flora ne disait pas toute la vérité. Pour m'en rendre compte, j'ai tenté la petite épreuve dont je vous ai parlé. Le docteur Sheppard m'accompagnait.

— Vous m'avez dit que cette expérience s'appliquait à Parker, remarquai-je amèrement.

— Mon ami, me répondit Poirot en manière d'excuse, ainsi que je vous l'ai fait observer ce soir-là, il faut bien dire quelque chose. »

L'inspecteur se leva.

« Il n'y a qu'une manière d'agir : interroger immédiatement Miss Flora. Venez-vous à Fernly avec moi, monsieur Poirot ?

— Certainement. Le docteur Sheppard nous y conduira dans sa voiture. »

J'acceptai volontiers. Nous demandâmes à voir Miss Ackroyd et fûmes introduits dans la salle de billard où Flora et le major Blunt étaient assis devant la fenêtre.

« Bonjour, Miss Ackroyd, dit l'inspecteur, pouvons-nous causer seuls avec vous, un instant ? »

Blunt se leva aussitôt et se dirigea vers la porte.

« Qu'est-ce que c'est ? demanda Flora avec nervosité.

« Ne sortez pas, major. Il peut rester, n'est-ce pas ? ajouta-t-elle en se tournant vers Raglan.

— Comme vous voudrez, répondit sèchement celui-ci. Il est de mon devoir de vous poser une ou deux questions, mademoiselle, mais je préférerais le faire dans l'intimité et je crois que vous le préférerez aussi. »

Flora le regarda attentivement et pâlit. Puis elle se tourna vers Blunt :

« Je désire que vous restiez, je vous en prie. Quoi que l'inspecteur ait à me dire, j'aime autant que vous l'entendiez. »

Raglan haussa les épaules.

« Comme vous voudrez, mademoiselle. M. Poirot m'a fait part de plusieurs idées qui lui sont venues, il croit que vous n'êtes pas entrée dans le cabinet de travail vendredi soir, que vous n'avez pas dit bonsoir à M. Ackroyd et que vous étiez, au contraire, dans l'escalier qui conduit à la chambre de votre oncle, lorsque vous avez entendu Parker traverser le hall. »

Le regard de Flora se dirigea vers Poirot qui fit un signe d'assentiment et dit :

« Mademoiselle, l'autre jour, quand nous étions assis autour de la table, je vous ai suppliée de vous montrer franche avec moi. Quand on ne dit pas une chose à Poirot, il la découvre. C'est bien exact, n'est-ce pas ? Je veux tout vous faciliter. Vous avez pris les billets ?

— Les billets ! » s'écria Blunt.

Il y eut un silence qui dura plus d'une minute. Puis Flora se redressa et dit :

« M. Poirot a raison. J'ai pris cette somme, je l'ai dérobée, je ne suis qu'une voleuse vulgaire. Maintenant vous savez tout et j'en suis contente ! J'ai vécu dans un cauchemar ces jours derniers ! »

Elle s'assit brusquement, cacha son visage dans ses mains et continua d'une voix entrecoupée :

« Vous ne savez pas ce qu'a été mon existence depuis mon arrivée ici. Désirer des objets, faire des combinaisons pour les avoir, mentir, tricher, accumuler des dettes, promettre de les payer... oh ! j'ai honte quand j'y songe ! C'est ce qui nous a rapprochés, Ralph et moi. Nous sommes faibles, tous deux. Je le comprenais et je le plaignais... parce que je lui ressemble. Nous ne sommes pas assez forts pour rester seuls... nous sommes des êtres malheureux... misérables. »

Elle regarda Blunt et frappa du pied.

« Pourquoi me regardez-vous ainsi... comme si vous ne pouviez me croire ? Je suis peut-être une voleuse, mais je suis sincère en ce moment, je ne mens plus et je ne prétends pas ressembler aux jeunes filles qui vous plaisent... innocentes et simples. Si vous ne voulez plus me voir, cela me sera indifférent. Je n'ai que de la haine et du mépris pour moi-même... mais au moins soyez sûr de ceci : si j'avais pu disculper Ralph en avouant la vérité, je l'aurais fait. Seulement, j'ai bien compris que Ralph n'y gagnerait rien, au contraire. Donc, je ne lui causais aucun préjudice en persistant dans mon mensonge.

— Ralph... murmura Blunt, toujours Ralph !

— Vous ne comprenez pas, dit tristement Flora, vous ne comprendrez jamais. »

Elle se tourna vers l'inspecteur.

« J'avoue tout. J'avais un pressant besoin d'argent. Je n'ai pas revu mon oncle, ce soir-là, après qu'il eut quitté la salle à manger. Quant au vol, vous pourrez prendre les mesures que vous jugerez nécessaires. Les choses ne peuvent être pires qu'elles ne le sont actuellement. »

Elle se leva, couvrit encore son visage de ses mains, puis sortit en courant.

« Eh bien ! dit l'inspecteur d'une voix morne, c'était donc bien cela ! »

Il paraissait ne plus savoir que faire. Blunt s'avança.

« Inspecteur Raglan, cette somme m'a été confiée par M. Ackroyd dans un but déterminé et sa nièce n'y a jamais touché; elle ment dans l'espoir de venir en aide au capitaine Paton. C'est moi qui vous dis la vérité et je suis prêt à en faire le serment devant les jurés. »

Il fit un salut sec, nous tourna brusquement le dos et sortit également, mais Poirot courut après lui et le rejoignit dans le hall.

« Monsieur, veuillez m'écouter un instant !

— Qu'y a-t-il, monsieur ? »

Le major était visiblement énervé et contemplait Poirot d'un air menaçant.

« Ceci, dit vivement le détective, votre petite explication ne me trompe pas. C'est bien Miss Flora qui a pris les billets, mais ce que vous venez de faire me plaît; c'est une bonne action. Vous êtes un homme de décision rapide.

— Je vous remercie, mais votre opinion m'est fort indifférente », répondit froidement Blunt qui voulut poursuivre son chemin.

Poirot, nullement froissé, lui mit la main sur le bras.

« Il faut que vous m'écoutiez, car j'ai autre chose à vous dire. L'autre jour, j'ai parlé de dissimulations. Or, je sais ce que vous cachez. Vous aimez Miss Flora de tout votre cœur, depuis la première fois que vous l'avez aperçue, n'est-il pas vrai ? Oh ! n'hésitons pas à aborder ce sujet. Pourquoi, en Angleterre, ne fait-on allusion à l'amour que comme à un honteux secret ? Vous aimez Miss Flora et vous le dissimulez au monde entier; c'est fort bien. Mais écoutez le conseil d'Hercule Poirot : ne le cachez pas à la jeune fille elle-même ! »

Blunt avait donné de nombreux signes d'impatience pendant que Poirot parlait, mais ces derniers mots parurent retenir son attention.

« Que voulez-vous dire ? demanda-t-il vivement.

— Vous croyez qu'elle aime le capitaine Ralph Paton ? Mais moi, je vous dis qu'il n'en est rien. Miss Flora a accepté d'épouser le capitaine pour faire plaisir à son oncle et aussi parce qu'elle voyait dans ce mariage un moyen de mettre fin à l'existence qu'elle menait et qui lui devenait insupportable. Il lui plaisait, ils se comprenaient et éprouvaient de la sympathie l'un pour l'autre... Mais d'amour... point ! Ce n'est pas le capitaine Paton qu'elle aime !

— Que diable voulez-vous insinuer ? demanda Blunt qui rougit sous son hâle.

— Vous avez été aveugle, monsieur, aveugle ! Elle est loyale, cette petite. Ralph Paton étant soupçonné, elle s'est crue obligée de ne pas paraître l'abandonner. »

Je jugeai le moment opportun de venir en aide à Poirot et je déclarai d'un ton encourageant :

« Ma sœur m'a dit l'autre soir que Flora ne s'est jamais vraiment souciée de Ralph et ne s'en soucierait jamais. Or, ma sœur voit généralement juste en ces matières. »

Mais Blunt méprisa mon intervention et, s'adressant à Poirot :

« Vous croyez vraiment ?... » commença-t-il, puis il s'arrêta, car c'est un de ces hommes qui ont de la difficulté à exprimer leurs sentiments.

Poirot, lui, n'est pas atteint de cette impuissance.

« Si vous en doutez, interrogez-la vous-même, monsieur; mais peut-être n'y tenez-vous plus... à cause de cette question d'argent... »

Blunt fit entendre un rire furieux.

« Pouvez-vous supposer que je lui en tiendrais rigueur ? Roger s'est toujours montré bizarre à ce sujet. Elle s'était embourbée et n'osait pas le lui dire. Pauvre enfant ! Pauvre enfant solitaire ! »

Poirot regarda dans la direction de la porte.

« Je crois que Miss Flora est allée dans le jardin, murmura-t-il.

— J'ai été insensé, dit Blunt brusquement. Etrange conversation que la nôtre ! On dirait une de ces comédies norvégiennes... Mais vous êtes un brave homme, monsieur Poirot. Merci. »

Il prit la main du détective et la serra au point

de lui faire faire une grimace de douleur. Puis il se dirigea vers la porte et sortit dans le jardin.

« Pas tout à fait insensé, murmura Poirot en caressant doucement ses doigts meurtris... sauf sur un point... l'Amour ! »

CHAPITRE XX

MISS RUSSELL

L'INSPECTEUR Raglan était fort ennuyé, car il n'avait pas été, plus que nous, dupe de l'héroïque mensonge de Blunt. Notre retour au village fut ponctué par ses doléances.

« Voilà qui change tout. Je ne sais si vous vous en êtes rendu compte, monsieur Poirot ?

— Je le crois, en effet, mais voyez-vous, je me suis familiarisé depuis quelque temps avec l'idée que les choses avaient dû se passer ainsi. »

L'inspecteur, à qui cette idée n'était jamais venue auparavant, regarda Poirot d'un air malheureux et continua à exposer ses découvertes.

« Maintenant, tous ces alibis sont sans valeur, absolument sans valeur. Il faut tout recommencer et essayer de savoir ce que chacun a fait depuis neuf heures et demie. C'est à cette heure-là que nous devons nous arrêter. Vous aviez absolument raison au sujet du nommé Kent, nous ne pouvons pas encore le relâcher. Voyons, il était à l'auberge du « Chien et du Sifflet » à neuf heures quarante-cinq. Il a pu y arriver en quinze minutes s'il a couru. C'est peut-être lui que M. Raymond a entendu parler à M. Ackroyd. Mais il y a une chose certaine : ce n'est pas lui qui a téléphoné, car la gare est à plus d'un kilomètre et demi de l'auberge où il est resté jusqu'à dix heures environ. Le diable soit de cette communication téléphonique : nous la retrouverons sans cesse sur notre route.

— En effet, déclara Poirot; c'est assez curieux.

— Peut-être le capitaine est-il entré dans le cabinet de son oncle, l'a-t-il trouvé assassiné et a-t-il téléphoné ensuite, il a peut-être craint d'être accusé et s'est enfui. Cela ne vous paraît-il pas possible ?

— Pourquoi aurait-il téléphoné ?

— Il a pu croire que son beau-père n'était que blessé et il voulait appeler le docteur aussi vite que possible sans se découvrir. Que pensez-vous de cette hypothèse ?

— Je crois qu'elle est plausible. »

L'inspecteur gonfla sa poitrine avec importance. Il était si manifestement enchanté de lui-même que toute parole que nous aurions pu prononcer eût été superflue.

Nous arrivions d'ailleurs chez moi et je me hâtai de commencer ma consultation, car mes clients m'attendaient déjà depuis fort longtemps.

Poirot se dirigea vers la station de police avec l'inspecteur.

Lorsque j'eus congédié mon dernier malade, je me rendis au fond de la maison, dans la petite pièce que j'appelle mon atelier. Je suis assez fier du poste de T.S.F. que j'y ai installé.

Caroline déteste mon atelier; j'y garde mes outils

et je ne permets pas à Annie de venir y faire des dégâts avec un balai et un torchon.

J'étais en train de réparer l'intérieur d'un réveille-matin, déclaré hors de service, lorsque la porte, en s'ouvrant, laissa passer la tête de Caroline.

« Ah ! tu es là, James ? dit-elle d'un ton désapprobateur. M. Poirot désire te voir.

— Eh bien, répondis-je quelque peu irrité, car son entrée soudaine m'avait fait tressaillir et j'avais laissé tomber une petite roue, s'il veut me voir, il n'a qu'à entrer ici.

— Ici ? demanda Caroline.

— Certainement. »

Elle renifla pour exprimer son mécontentement et sortit. Puis elle revint au bout d'un instant, introduisit Poirot et s'en alla de nouveau en claquant la porte.

« Ah ! ah ! mon ami, s'écria Poirot qui avança en se frottant les mains. Vous voyez que vous ne vous êtes pas débarrassé de moi si facilement.

— Vous en avez fini avec l'inspecteur ?

— Oui, pour le moment. Et vous, avez-vous vu tous vos malades ?

— Oui. »

Poirot s'assit et me regarda en penchant de côté sa tête pointue, de l'air de quelqu'un qui savoure une bonne plaisanterie.

« Vous êtes dans l'erreur, dit-il enfin; vous avez encore un client à voir.

— Est-ce vous ? m'écriai-je surpris.

— Ah ! non, bien entendu, pas moi; j'ai une santé magnifique. Je dois vous avouer qu'il s'agit d'un petit complot que j'ai organisé. Je désire voir quelqu'un et il n'est pas nécessaire que le village tout entier le sache, ce qui ne manquerait pas de se produire si la dame dont je parle venait chez moi, car il s'agit d'une dame, tandis qu'elle est déjà venue chez vous pour vous consulter.

— Miss Russell ! m'exclamai-je.

— Précisément. Je veux lui parler, aussi lui ai-je envoyé un mot pour lui donner rendez-vous dans votre cabinet de consultation. Cela ne vous ennuie pas ?

— Au contraire, répondis-je, en admettant que vous me permettiez d'assister à votre entretien...

— Naturellement, dans votre propre cabinet.

— Savez-vous que toute cette affaire est extraordinairement intéressante ? Chaque nouvel incident la fait complètement changer de face... Pourquoi désirez-vous tellement voir Miss Russell ? »

Poirot leva les sourcils.

« Voyons, c'est évident, murmura-t-il.

— Vous êtes toujours le même, grommelai-je, à vous entendre, tout est évident et vous me laissez sans cesse dans l'incertitude. »

Le détective secoua cordialement la tête.

« Vous vous moquez de moi. Tenez, prenons l'affaire de Miss Flora : l'inspecteur a été étonné, mais vous, vous ne l'avez pas été.

— Je ne l'avais jamais considérée comme une voleuse, m'écriai-je.

— Peut-être pas, mais je vous regardais et vous n'avez été ni surpris, ni incrédule comme l'inspecteur Raglan. »

Je réfléchis pendant un instant.

« Peut-être avez-vous raison, concédai-je enfin. J'ai eu l'intuition, dès le début, que Flora nous cachait quelque chose, de sorte que je m'attendais inconsciemment à voir la vérité se manifester. Il est certain que Raglan a été bouleversé.

— Oh ! pour ça, oui. Le pauvre homme est obligé de reviser toutes ses idées et j'ai profité du chaos dans lequel se trouve son esprit pour obtenir de lui une petite faveur.

— Laquelle ? »

Poirot prit dans sa poche une feuille de papier sur laquelle étaient écrits quelques mots qu'il lut à haute voix :

« La police a, depuis plusieurs jours, recherché le capitaine Ralph Paton, beau-fils de M. Ackroyd, de Fernly Park, dont la mort fut entourée de circonstances si tragiques, vendredi dernier. Le capitaine Paton a été trouvé à Liverpool, au moment où il était sur le point de s'embarquer pour l'Amérique. »

Il replia la feuille.

« Ceci paraîtra dans les journaux demain matin. »

Je le regardai confondu.

« Mais... mais... ce n'est pas vrai ! Il n'est pas à Liverpool ! »

Poirot me contempla avec satisfaction.

« Vous avez l'intelligence si vive ! Non, il n'a pas été trouvé à Liverpool. L'inspecteur Raglan hésitait beaucoup à me laisser envoyer cet entrefilet à la presse, d'autant plus que je ne pouvais pas lui faire mes confidences, mais je lui ai solennellement affirmé que nous obtiendrions ainsi de très intéressants résultats et il a cédé en stipulant qu'il ne prenait aucune responsabilité. »

Je regardais toujours Poirot avec stupeur. Il me sourit.

« Je ne comprends absolument pas, dis-je enfin,

ce que vous pouvez espérer en publiant cette nouvelle.

— Mettez en action vos petites cellules grises », répondit-il gravement.

Puis il se leva et s'approcha de mon établi.

« Vous avez l'amour du mécanisme », remarqua-t-il, en inspectant les vestiges de mes travaux.

Chaque homme a sa manie. J'attirai immédiatement l'attention de Poirot sur mon poste de T. S. F. et, trouvant en lui un auditeur attentif, je lui montrai une ou deux de mes petites inventions : dispositifs simples, mais très utiles dans la maison.

« Décidément, déclara-t-il, vous devriez être ingénieur plutôt que médecin. Mais j'entends la sonnette, c'est votre cliente. Allons dans votre cabinet de consultation. »

J'avais déjà remarqué combien la gouvernante était encore jolie et j'en fus à nouveau frappé. Très simplement vêtue de noir, grande, mince, elle avait des yeux brillants et ses joues, habituellement pâles, avaient un vif éclat. Je me rendis compte qu'elle avait dû être d'une beauté saisissante dans sa jeunesse.

« Bonjour, mademoiselle, dit Poirot. Voulez-vous prendre un siège. Le docteur Sheppard a la bonté de nous autoriser à disposer de cette pièce pour que je puisse avoir, avec vous, une petite conversation. »

Miss Russell s'assit de son air calme. Si elle ressentait quelque émotion intérieure, elle n'en laissait rien paraître.

« Permettez-moi de vous dire que cette manière d'agir me semble bizarre, observa-t-elle.

— J'ai des nouvelles à vous donner, mademoiselle.

— Vraiment !

— Charles Kent a été arrêté à Liverpool. »

Pas un muscle de son visage ne bougea. Elle ouvrit simplement les yeux un peu plus grands et demanda avec une nuance de défiance :

« Eh bien, quelle importance cela a-t-il ? »

A ce moment, j'eus une révélation au sujet de la ressemblance qui me hantait et je compris quel souvenir avait évoqué en moi l'attitude de Charles Kent. Les deux voix, l'une vulgaire, l'autre extrêmement raffinée, avaient le même timbre. C'était à Miss Russell que j'avais pensé, l'autre soir, en le rencontrant près de la grille de Fernly Park !

Tout ému de cette découverte, je regardai Poirot qui me fit un imperceptible signe affirmatif.

En réponse à la question de Miss Russell, il fit un geste de la main.

« Je croyais que cette nouvelle vous intéressait, voilà tout, déclara-t-il doucement.

— Pas particulièrement, répondit la gouvernante. Qui est d'ailleurs ce Charles Kent ?

— C'est un homme qui était à Fernly le soir du meurtre, mademoiselle.

— En vérité ?

— Heureusement pour lui, il a un alibi. A dix heures moins le quart, il se trouvait dans une auberge à un kilomètre d'ici.

— C'est une bonne chance pour lui, certainement, déclara Miss Russell.

— Cependant, nous ne savons toujours pas pourquoi il est venu à Fernly, ni qui il y a vu.

— Je crains de ne pouvoir vous donner aucun renseignement à ce sujet, dit-elle poliment. Je n'ai rien appris à cet égard. Si c'est là tout... »

Elle fit un mouvement comme pour se lever, mais Poirot la retint.

« Ce n'est pas absolument tout, dit-il doucement. De nouvelles circonstances se sont fait jour ce matin. Il paraît maintenant certain que M. Ackroyd a été assassiné avant dix heures moins le quart, c'est-à-dire entre neuf heures moins dix, moment où le docteur Sheppard est sorti, et dix heures moins le quart. »

Je vis blêmir le visage de la gouvernante qui se pencha en avant toute tremblante.

« Mais Miss Ackroyd a dit... Miss Ackroyd a dit...

— Miss Ackroyd avoue qu'elle a menti. Elle n'est pas entrée dans le cabinet de son oncle de toute la soirée.

— Alors ?

— Alors, il est évident que Charles Kent est l'homme que nous cherchons. Il est venu à Fernly et n'a pu expliquer pourquoi...

— Moi, je puis vous le dire ! Il n'a pas touché un cheveu de la tête de M. Ackroyd, il ne s'est même pas approché de son cabinet... je vous l'affirme ! »

Son impassibilité avait enfin disparu et il y avait de la terreur et du désespoir sur son visage.

« Monsieur Poirot, monsieur Poirot ! Je vous supplie de me croire. »

Le détective se leva, s'approcha d'elle et lui tapota l'épaule d'une manière rassurante.

« Mais oui, mais oui, je vous crois ! Il fallait que vous parliez. »

Elle fut prise de soupçons.

« Ce que vous m'avez dit est-il exact ?

— Au sujet de la présomption qui pèse sur Charles Kent ? Oui, c'est exact. Vous seule pouvez le sauver en me faisant connaître la raison pour laquelle il est venu à Fernly.

— Pour me voir... répondit-elle d'une voix basse et pénétrante. Je suis allée à sa rencontre.

— Dans le pavillon, oui, je sais cela.

— Comment le savez-vous ?

— Mademoiselle, le métier d'Hercule Poirot consiste à découvrir ce qui s'est passé. Je sais que vous êtes sortie au commencement de la soirée, en laissant un mot dans le pavillon pour indiquer l'heure où vous vous y trouveriez.

— En effet, j'avais reçu une lettre de lui m'annonçant son arrivée et je n'osais pas le laisser venir jusqu'à la maison. Je lui écrivis donc à l'adresse qu'il me donnait, pour lui dire de me rejoindre dans le pavillon que je lui décrivis, afin qu'il lui fût facile de s'y rendre. Puis, craignant qu'il ne m'attendît pas, j'y courus et y laissai un message, le prévenant que je viendrais vers neuf heures dix. Pour que les domestiques ne me voient pas, je sortis par la porte-fenêtre du salon. Lorsque je rentrai, je rencontrai le docteur Sheppard et je m'imaginai qu'il s'étonnerait, car, ayant couru, j'étais tout essoufflée. Je ne me doutais pas qu'il était invité à dîner ce soir-là. »

Elle s'arrêta.

« Continuez, dit Poirot. Donc, vous êtes allée le rejoindre à neuf heures dix. Que lui avez-vous dit ?

— Il m'est difficile de vous expliquer...

— Mademoiselle, interrompit le détective, il faut que je connaisse la vérité et ce que vous nous raconterez n'ira jamais plus loin. Le docteur Sheppard sera discret et moi aussi. Tenez, je vais vous aider. Ce Charles Kent est votre fils, n'est-ce pas ? »

Elle fit un signe affirmatif et le sang lui monta aux joues.

« Personne ne l'a jamais su. Il y a très... très longtemps, dans le comté de Kent. Je n'étais pas mariée...

— De sorte que vous lui avez donné le nom de ce comté. Je comprends.

— Je trouvai du travail et pus payer son éducation; mais je ne lui avais pas dit que j'étais sa mère. Malheureusement, il se dévoya, but, s'adonna aux drogues. Je m'arrangeai pour payer son passage afin qu'il pût s'en aller au Canada et je n'entendis plus parler de lui pendant un an ou deux. Alors, il apprit, je ne sais comment, le secret de sa naissance et m'écrivit pour me demander de l'argent. Enfin, il m'annonça son retour en Angleterre et sa visite. Je ne voulais pas qu'on le vît, car j'ai toujours été considérée comme tellement... tellement respectable. Si quelqu'un s'était douté de la vérité, j'aurais perdu ma situation. Je lui écrivis donc dans le sens que je vous ai indiqué.

— Et le lendemain matin vous êtes venue trouver le docteur Sheppard.

— Oui. Je me demandais ce que je pourrais faire afin de le guérir; ce n'était pas un méchant garçon avant qu'il ait commencé à prendre des drogues.

— Je me rends compte, répondit Poirot, continuez votre récit. Donc, il s'est rendu ce soir-là au pavillon ?

— Oui, il m'attendait lorsque j'y suis arrivée et il se montra très brusque, très insolent. J'avais apporté tout l'argent que je possédais et le lui donnai. Nous causâmes un instant, puis il partit.

— Quelle heure était-il ?

— Il devait être entre neuf heures vingt et neuf

heures vingt-cinq, car il n'était pas tout à fait neuf heures et demie lorsque je regagnai la maison.

— De quel côté est-il parti ?

— Par le même chemin qu'il avait pris en venant, c'est-à-dire par le sentier qui rejoint la grande allée, juste à la grille du parc. »

Poirot hocha la tête affirmativement.

« Et vous, que fîtes-vous ?

— Je rentrai. Le major Blunt se promenait de long en large sur la terrasse en fumant, aussi fis-je un détour pour atteindre la porte de côté. Ainsi que je vous l'ai dit, il était juste neuf heures et demie. »

Poirot inclina de nouveau la tête et prit une ou deux notes dans un calepin microscopique.

« Je crois que c'est tout, dit-il pensivement.

— Dois-je ? demanda Miss Russell en hésitant, dois-je raconter tout cela à l'inspecteur Raglan ?

— Cela pourra devenir nécessaire, mais ne nous pressons pas. Procédons lentement, avec ordre et méthode. Charles Kent n'est pas encore officiellement accusé de meurtre et il peut se produire certaines circonstances qui rendent votre récit inutile. »

La gouvernante se leva.

« Merci, monsieur Poirot; vous avez été très bon, très bon en vérité. Vous me croyez, n'est-ce pas ? Vous êtes convaincu que Charles n'a rien à voir dans cet affreux assassinat ?

— Un point semble hors de doute : l'homme qui causait avec M. Ackroyd à neuf heures et demie ne pouvait être votre fils. Ayez bon courage, mademoiselle, tout peut encore s'arranger. »

Miss Russell partit. Poirot et moi restâmes ensemble.

« Voilà qui est clair, dis-je. Tout nous ramène

vers Ralph Paton. Comment avez-vous deviné que Miss Russell était la personne que Charles Kent venait voir ? Aviez-vous remarqué la ressemblance ?

— J'avais établi un rapport entre elle et l'inconnu bien avant d'avoir vu celui-ci; depuis le moment où j'ai trouvé la plume. En la découvrant, j'ai pensé à la cocaïne et je me suis rappelé le récit que vous m'aviez fait de votre conversation avec Miss Russell. Puis j'ai lu dans le journal de ce même jour l'article sur les détenteurs de drogues et tout me parut très clair. Elle avait eu ce matin-là des nouvelles de quelqu'un qui s'adonnait aux stupéfiants, elle avait lu l'article et elle était venue vous trouver pour vous poser quelques questions tendancieuses. Elle a parlé de cocaïne parce que l'article en question traitait surtout de la cocaïne. Puis lorsque vous avez paru trop vous intéresser à cette question, elle a vite fait dévier le sujet vers les histoires de détective et de poisons qui ne laissent aucune trace. J'ai pensé à un fils, à un frère ou à tout autre parent indésirable. Ah ! il faut que je parte, c'est l'heure du déjeuner.

— Restez à déjeuner avec nous. »

Poirot secoua la tête et une petite lueur s'alluma dans ses yeux.

« Non, pas aujourd'hui. Je ne voudrais pas forcer Mlle Caroline à adopter deux jours de suite un régime végétarien. »

Cela me donna à penser que bien peu de choses échappaient à Hercule Poirot.

CHAPITRE XXI

L'ENTREFILET DU JOURNAL

BIEN ENTENDU, Caroline avait vu arriver Miss Russell. Je l'avais prévu et j'avais préparé un récit détaillé concernant le genou malade de la gouvernante. Mais Caroline n'était pas disposée à m'interroger. Elle me déclara qu'elle savait pourquoi Miss Russell était réellement venue, tandis que moi je ne le savais pas.

« Pour te faire parler, James, dit-elle, te questionner de la façon la plus éhontée, j'en suis sûre. Inutile de m'interrompre, je suis certaine que tu ne t'en es même pas douté. Les hommes sont si naïfs ! Elle sait que tu as la confiance de M. Poirot et elle veut obtenir des renseignements. Sais-tu ce que je crois, James ?

— Je ne me donne pas la peine de chercher. Tu sais tellement de choses extraordinaires !

— Epargne-moi tes sarcasmes; je suis persuadée que Miss Russell en sait plus long au sujet de la mort de M. Ackroyd qu'elle ne veut bien l'avouer. »

Caroline se renversa triomphalement sur sa chaise.

« Tu crois... vraiment ? questionnai-je, tout en pensant à autre chose.

— Tu es bien morne aujourd'hui, James; cela doit venir de ton foie. »

Notre conversation prit alors un tour personnel.

L'entrefilet, rédigé par Poirot, parut dans notre journal local le lendemain matin. Je ne comprenais pas quel en était le but, mais il produisit un effet immense sur Caroline. Elle commença par déclarer qu'elle avait toujours prévu l'événement qui venait d'être annoncé, ce qui était absolument inexact. Je levai les sourcils, mais ne discutai pas. Ma sœur dut toutefois éprouver un scrupule de conscience, car elle ajouta :

« Je n'ai peut-être pas indiqué Liverpool, mais je savais bien que Ralph essaierait de partir pour l'Amérique. C'est ce qu'a fait Crippen.

— Sans grand succès, lui rappelai-je.

— Pauvre garçon ! Alors on l'a pris ? James, je considère qu'il est de ton devoir de lui éviter la pendaison.

— Que veux-tu que je fasse ?

— N'es-tu pas médecin ? Tu le connais depuis son enfance; tu n'as qu'à déclarer qu'il est irresponsable. Voilà ce que tu dois faire. J'ai lu dans un journal, l'autre jour, que les malades sont parfaitement heureux à Broadmoor. L'établissement ressemble à un cercle très fermé. »

Les paroles de Caroline éveillèrent en moi un souvenir.

« Je ne savais pas que Poirot avait un neveu qui est fou, fis-je avec curiosité.

— Vraiment ? Il m'a tout raconté. Son état cause un gros chagrin à toute sa famille. On l'a gardé chez lui jusqu'à présent, mais sa folie prend de telles proportions qu'on pense être obligé de l'interner.

— Je suppose que tu es maintenant parfaitement au courant de tous les détails concernant la famille de Poirot, observai-je exaspéré.

— En effet, répondit ma sœur avec complaisance. C'est un grand soulagement pour les gens de pouvoir confier leurs ennuis à quelqu'un.

— Oui, déclarai-je, à condition qu'ils le fassent spontanément; mais quand on leur extorque de force leurs confidences, ce n'est plus la même chose. »

Caroline se borna à me regarder d'un air de martyre chrétienne.

« Tu es si réservé, James, dit-elle; tu détestes parler et communiquer ce que tu sais, alors tu crois que les autres te ressemblent. J'espère bien n'avoir jamais forcé qui que ce soit à me faire des confidences. Par exemple, si M. Poirot vient me voir cet après-midi, ainsi qu'il me l'a annoncé, je ne songerai pas à lui demander quelle est la personne qui est arrivée chez lui de bonne heure ce matin.

— De bonne heure ce matin ? demandai-je.

— Très tôt, répondit Caroline; avant même que le laitier soit passé. Je regardais par la fenêtre parce que le store battait et j'ai vu arriver, dans une voiture fermée, un homme emmitouflé dont je n'ai pas aperçu le visage. Mais je vais te dire ce que je crois et tu verras que j'ai raison.

— Que crois-tu ? »

Ma sœur baissa mystérieusement la voix : « Je crois que c'est un expert du laboratoire municipal, murmura-t-elle.

— Un expert du laboratoire ! répondis-je ahuri. Ma chère Caroline !

— Tu verras, James, tu verras ! Cette femme Russell est venue te consulter au sujet de tes poisons. Il est bien possible que Roger Ackroyd ait été empoisonné ce soir-là, au dîner ! »

Je me mis à rire.

« Voyons, m'écriai-je, il a été poignardé dans le cou. Tu le sais aussi bien que moi.

— Après sa mort, James, déclara-t-elle, pour créer une fausse piste.

— Ma chère amie, j'ai examiné le corps et je sais ce que je dis. La blessure n'a pas été faite après la mort, elle l'a causée et tu ne dois pas chercher plus loin. »

Caroline ne perdit pas son air convaincu qui m'agaçait tellement que je continuai :

« Peut-être voudras-tu bien m'apprendre si je suis ou ne suis pas médecin ?

— Tu es médecin évidemment, mais tu n'as pas d'imagination.

— Comme tu en as pour trois, il n'en restait plus pour moi », dis-je sèchement.

Lorsque Poirot arriva dans l'après-midi, les manœuvres de Caroline m'amusèrent. Sans lui poser de questions directes, ma sœur fit allusion de toutes les manières imaginables à l'arrivée matinale de l'homme dont elle m'avait parlé. Je compris par l'éclat malicieux du regard de Poirot qu'il s'en apercevait fort bien; mais il demeura impassible et éluda si adroitement toutes les tentatives qu'elle fit pour être informée qu'elle dut y renoncer.

Lorsqu'il eut joui de cette petite comédie, il se leva et proposa de faire une promenade.

« Il faut que je maigrisse un peu, expliqua-t-il. Vous venez avec moi, docteur ?... Peut-être Mlle Caroline aura-t-elle ensuite la bonté de nous offrir le thé ?

— Avec grand plaisir, répondit-elle. Votre... ami ne voudra-t-il pas venir aussi ?

— Vous êtes trop aimable, il se repose, mais vous le verrez bientôt.

— C'est un très vieil ami à vous, m'a-t-on dit, demanda Caroline, faisant un dernier effort pour se renseigner.

— Vraiment ? murmura Poirot. Allons, partons. »

Notre promenade nous conduisit dans la direction de Fernly. J'avais par avance deviné qu'il en serait ainsi, car je commençais à connaître les méthodes employées par Poirot. Chaque détail avait son importance.

« Je veux vous adresser une requête, mon ami, dit-il enfin. Je désire qu'une petite conférence ait lieu ce soir chez moi. Vous y assisterez, n'est-ce pas ?

— Certainement, répondis-je.

— Fort bien. Il faut que j'aie tous les hôtes de Fernly : Mme Ackroyd, Miss Flora, le major Blunt, M. Raymond; je vous prie d'être mon ambassadeur auprès d'eux et de leur demander de venir à neuf heures à cette réunion. Vous voulez bien ?

— Très volontiers. Mais pourquoi ne le leur demandez-vous pas vous-même ?

— Parce qu'ils me poseraient des questions. Pourquoi ? A quoi cela servira-t-il ? Quelle est mon intention ? Or, ainsi que vous le savez, mon ami, je déteste expliquer mes petites idées avant que le moment soit venu. »

Je souris.

« Mon ami Hastings, dont je vous ai parlé, prétendait que je ressemblais à l'huître, ce en quoi il se montrait injuste. Je ne garde pas pour moi ce que je sais; je communique à chacun ce qui le concerne.

— Quand voulez-vous que je fasse votre commission ?

— Maintenant. Nous sommes tout près de la maison.

— Vous n'y entrez pas ?

— Non; je vais aller me promener dans le parc et je vous rejoindrai près de la grille, dans un quart d'heure. »

Je fis un signe affirmatif et le quittai pour remplir ma mission. Je ne trouvai que Mme Ackroyd qui prenait le thé et me reçut fort aimablement.

« Je vous suis tellement reconnaissante, docteur, dit-elle, d'avoir expliqué à M. Poirot le petit incident que vous savez. Hélas ! la vie n'apporte que des ennuis... Vous avez appris la nouvelle qui concerne Flora, bien entendu ?

— Laquelle ? demandai-je avec précaution.

— Ses toutes récentes fiançailles avec le major Blunt. Ce n'est pas un aussi brillant mariage que si elle avait épousé Ralph, mais après tout, le bonheur est la chose essentielle. Il faut à cette chère Flora un homme plus âgé qu'elle, sérieux et sûr. D'ailleurs, Hector est fort remarquable dans son genre... Avez-vous vu ce matin, dans le journal, l'annonce de l'arrestation de Ralph ?

— Oui, répondis-je, je l'ai vue.

— C'est horrible ! » Mme Ackroyd ferma les yeux et frissonna. « Geoffroy Raymond s'est mis dans un état affreux et a tout de suite téléphoné à

Liverpool; mais la police n'a rien voulu lui dire et lui a même affirmé qu'elle n'avait pas arrêté Ralph. M. Raymond déclare que ce doit être une erreur, un... comment appelle-t-on cela ? un canard des journaux. J'ai défendu qu'on en parle devant les domestiques. Ce serait une telle honte. Voyez-vous combien ce serait terrible si Flora et lui avaient été mariés. »

Mme Ackroyd paraissait bouleversée et je commençais à me demander quand il me serait possible de lui communiquer l'invitation de Poirot. Mais, avant que j'aie eu le temps de parler, Mme Ackroyd reprit :

« Vous étiez ici hier, n'est-ce pas, avec cet affreux inspecteur Raglan ? Cet homme est une brute : il a terrifié Flora en l'accusant d'avoir pris une somme d'argent dans la chambre du pauvre Roger. La chose est pourtant si simple. La chère petite voulait emprunter quelques billets à son oncle et n'a pas osé le déranger, alors qu'il avait donné un ordre strict à cet effet; mais, sachant où il gardait son argent, elle est allée prendre ce dont elle avait besoin.

— Est-ce ainsi que Flora raconte la chose ? demandai-je.

— Mon cher docteur, vous savez ce que sont les jeunes filles de nos jours. Elles obéissent si facilement à la suggestion. Vous connaissez l'hypnotisme et tous les phénomènes de ce genre. L'inspecteur l'a terrorisée, il a répété le mot « vol » à satiété, jusqu'au moment où la pauvre enfant s'est trouvée... comment dites-vous ? auto-suggestionnée et s'est figuré qu'elle avait volé cette somme. J'ai compris tout de suite qu'il en était ainsi. Mais, d'un autre côté, je suis très contente de ce qui s'est passé, car cela semble les avoir réunis... je veux dire Hector et Flora. Je vous assure que je me suis souvent beaucoup tourmentée au sujet de ma fille, car à un moment donné, j'ai craint qu'il n'y ait quelque amourette entre elle et le jeune Raymond. Songez à cela ! »

La voix de Mme Ackroyd s'éleva, devint aiguë :

« Un secrétaire sans fortune !

— C'eût été un coup terrible pour vous, répondis-je. Madame, j'ai à vous faire une commission de la part de M. Hercule Poirot.

— A moi ? »

Mme Ackroyd parut fort effrayée; je me hâtai de la rassurer et de lui expliquer ce que désirait Poirot.

« Certainement, dit Mme Ackroyd en hésitant, j'estime que nous devons assister à cette réunion puisque M. Poirot le demande; mais de quoi s'agit-il ? Je voudrais le savoir par avance. »

J'affirmai en toute sincérité que je n'en savais pas plus long qu'elle.

« Fort bien, répondit enfin Mme Ackroyd, je le dirai aux autres et nous serons là à neuf heures. »

Sur quoi je pris congé et rejoignis Poirot au lieu indiqué pour notre rendez-vous.

« Je crains d'être en retard. Quand cette excellente dame commence à parler, il est bien difficile de l'arrêter !

— Cela n'a pas d'importance, je ne me suis pas ennuyé, car ce parc est magnifique. »

Nous nous remîmes en route et lorsque nous arrivâmes, à notre grande surprise, Caroline, qui nous guettait évidemment, nous ouvrit elle-même la porte.

Elle avait un air important et agité; elle mit un doigt sur ses lèvres et murmura :

« Ursula Bourne, la femme de chambre de Fernly, est ici. Je l'ai fait entrer dans la salle à manger. La pauvre fille est dans un état affreux et demande à voir M. Poirot tout de suite. J'ai fait ce que je pouvais pour la calmer et je lui ai apporté une tasse de thé bien chaud. Cela fend le cœur de voir quelqu'un dans un pareil état.

— Où est la salle à manger ? demanda Poirot.

— Par ici », répondis-je en ouvrant la porte.

La jeune femme était assise auprès de la table sur laquelle ses bras étaient allongés; elle venait évidemment de lever la tête qu'elle y avait appuyée et ses yeux étaient tout rouges.

« Ursula Bourne », murmurai-je.

Mais Poirot, les mains tendues, passa devant moi.

« Non, dit-il, ce n'est pas tout à fait exact, je crois. Vous n'êtes pas Ursula Bourne, n'est-ce pas mon enfant, mais Ursula Paton ? Mme Ralph Paton. »

CHAPITRE XXII

LE RÉCIT D'URSULA

PENDANT quelques minutes, la jeune fille regarda Poirot sans parler. Puis sa réserve se brisa, elle inclina la tête et éclata violemment en sanglots.

Caroline se précipita, l'entoura de son bras et lui tapota sur l'épaule.

« Allons, allons, ma chère, dit-elle doucement, tout ira bien, vous verrez, tout ira bien. »

Caroline est très bonne, malgré sa curiosité, et son désir de répandre les nouvelles et, pendant un instant, la révélation que Poirot venait de faire perdit de son intérêt, pour elle, en présence du chagrin de la jeune fille.

Au bout d'une minute, Ursula se redressa et s'essuya les yeux.

« C'est très bête de ma part, dit-elle.

— Non, non, mon enfant, dit Poirot avec bonté. Nous nous rendons tous compte de ce qu'a dû être votre tension nerveuse durant cette dernière semaine.

— Cela a dû être fort pénible, dis-je.

— Et puis découvrir enfin que vous saviez tout, continua Ursula. Qui vous l'a dit ? Est-ce Ralph ? »

Poirot secoua la tête négativement.

« Vous savez ce qui m'a conduite vers vous aujourd'hui ? C'est ceci. »

Elle lui tendit un morceau de journal froissé et je reconnus l'entrefilet que Poirot avait fait insérer.

« On dit que Ralph a été arrêté. Tout est donc inutile et je n'ai plus rien à dissimuler.

— Les journaux ne disent pas toujours la vérité, madame, murmura Poirot qui paraissait un peu honteux. Cependant vous feriez bien de tout avouer, car il faut que nous sachions exactement la vérité. »

La jeune femme hésita et le regarda avec une sorte d'appréhension.

« Vous n'avez pas confiance en moi, reprit doucement le détective, pourtant vous êtes venue me trouver... Pourquoi ?

— Parce que je ne crois pas que Ralph ait tué, dit-elle d'une voix très basse, et que je vous sais habile et capable de découvrir le meurtrier. Puis aussi...

— Quoi donc ?

— Parce que je vous crois très bon. »

Poirot inclina plusieurs fois la tête.

« C'est fort bien, cela, oui, fort bien. Ecoutez : je pense, en effet, que votre mari est innocent... mais les choses vont assez mal. Pour pouvoir le sauver, il faut que je sache tout, même si cela doit rendre, en apparence, la situation plus grave.

— Comme vous comprenez bien tout ! dit Ursula.

— Donc faites-moi un récit complet, depuis le début, voulez-vous ?

— Vous n'allez pas me renvoyer, j'espère, dit

Caroline en s'installant confortablement dans un fauteuil. Ce que je voudrais savoir, reprit-elle, c'est pourquoi cette enfant se faisait passer pour une femme de chambre ?

— Se faisait passer ? interrogeai-je.

— Pour gagner ma vie », déclara sèchement Ursula.

Puis, se sentant encouragée, elle commença le récit que je reproduis ici.

Ursula Bourne appartenait à une bonne famille irlandaise, ruinée, de sept enfants. A la mort de leur père, les filles furent, pour la plupart, obligées de travailler. La sœur aînée d'Ursula était mariée au capitaine Folliott, c'était elle que j'avais vue, dimanche, et la cause de son embarras m'apparaissait clairement. Désirant se suffire à elle-même et ne voulant pas devenir gouvernante d'enfants, seule profession ouverte à une jeune fille qui ne s'est pas préparée à une carrière, Ursula préféra le métier de femme de chambre. Elle dédaigna de faire état de son origine et voulut passer pour une véritable domestique, demandant à sa sœur de lui fournir des références. Elle avait été fort appréciée à Fernly, malgré une certaine froideur qui, nous l'avons constaté, donnait lieu à des commentaires, car elle était vive, adroite et consciencieuse.

« Ce travail m'amusait, déclara-t-elle, et j'avais beaucoup de loisirs. »

Vint sa rencontre avec Ralph Paton et leur mutuelle affection, qui eut pour résultat un mariage clandestin. Ce fut lui qui y poussa, contre le gré de la jeune fille, car il lui affirma que son beau-père ne consentirait jamais à lui voir épouser une femme sans fortune. Mieux valait agir en secret et choisir un instant favorable pour lui avouer la vérité. Ainsi fut fait et Ursula Bourne devint Ursula Paton. Ralph lui ayant promis qu'il essaierait de se libérer envers ses créanciers, de trouver du travail afin de pouvoir la faire vivre et, lorsqu'il serait ainsi devenu indépendant de son père adoptif, faire reconnaître son mariage.

Mais, pour des êtres de la trempe de Ralph Paton, il est plus facile de s'amender en théorie qu'en pratique. Il espérait amener M. Ackroyd à payer ses dettes. Seulement quand celui-ci en connut le montant, il se mit fort en colère et lui opposa un refus absolu. Plusieurs mois passèrent, puis Roger Ackroyd fit venir Ralph à Fernly et lui déclara nettement ses intentions : il désirait qu'il épousât Flora. Ce fut à ce moment que la faiblesse de caractère du jeune homme se fit particulièrement sentir. Comme toujours, il se contenta de la solution la plus facile. Ni lui ni Flora ne jouèrent la comédie de l'amour et tous deux considérèrent cette proposition comme une affaire. Roger Ackroyd leur exprimait ses désirs et ils y souscrivaient. Flora voyait dans ce mariage la liberté, la fortune, un horizon plus large. Pour Ralph, évidemment, les choses ne se présentaient pas de la même manière, mais il était dans une situation pécuniaire fort obérée et il considérait qu'il y avait là pour lui un espoir d'éteindre ses dettes, ce qui lui permettrait de recommencer l'existence sur une base nouvelle. Il n'était pas capable de penser à ce que serait l'avenir, mais il semble qu'il ait envisagé vaguement la rupture de ses fiançailles avec Flora, après un laps de temps convenable. Tous deux demandèrent à ce qu'elles ne fussent pas officielles immédiatement. Ralph désirait les cacher à Ursula, car il se rendait compte que la nature franche et résolue de celle-ci répugnerait fortement à cette combinaison.

Puis vint le moment critique où Roger Ackroyd, toujours énergique, se décida à rendre l'engagement public; il n'en dit rien à Ralph et en parla seulement à Flora qui, apathique, n'y fit pas d'objection. Mais la nouvelle frappa Ursula comme la foudre et elle écrivit à son mari qui arriva de Londres aussitôt. Ils se rencontrèrent dans le bois où ma sœur surprit une partie de leur conversation.

Ralph supplia sa femme de garder le silence encore quelque temps, mais Ursula était excédée de tous ces mensonges et annonça son intention de révéler sur l'heure la vérité à M. Ackroyd.

Les deux jeunes gens se quittèrent froidement.

Ursula, forte de sa détermination, demanda un entretien à Roger; leur conversation fut orageuse et l'aurait peut-être été davantage encore si Ackroyd n'avait pas eu de graves préoccupations personnelles.

Mais il n'était pas homme à pardonner une tromperie; sa colère fut surtout dirigée contre Ralph. Cependant Ursula ne fut pas épargnée car il l'accusa d'avoir volontairement séduit l'enfant d'adoption d'un homme riche. Des paroles blessantes furent échangées de part et d'autre.

Ce même soir Ursula sortit par la petite porte et alla rejoindre Ralph dans le pavillon. Ils se firent de mutuels reproches. Ralph déclara qu'Ursula avait irrémédiablement compromis son avenir par sa révélation intempestive et Ursula taxa Ralph de duplicité; puis ils se séparèrent et, une demi-heure plus tard, le corps de Roger Ackroyd était découvert.

Depuis ce soir-là, Ursula n'avait plus revu son mari, ni reçu de lui aucune nouvelle.

Au fur et à mesure que le récit se déroulait, je me rendais compte de la manière dont tout s'enchaînait extraordinairement.

Si Ackroyd avait vécu, il n'aurait pas manqué de changer les dispositions qu'il avait prises dans son testament; je le connaissais assez pour savoir qu'il se serait empressé de le modifier. Sa mort était venue à point nommé pour le jeune ménage. Il n'était donc pas surprenant qu'Ursula eût la force de se taire et de jouer son rôle avec autant de constance.

Mes méditations furent interrompues par la voix de Poirot dont le ton me prouva qu'il se rendait compte également de la gravité de la situation.

« Madame, dit-il, il faut que je vous pose une question à laquelle je vous demande de répondre avec franchise, car tout peut en dépendre. Quelle heure était-il lorsque vous avez quitté le capitaine Paton, dans le pavillon ? Réfléchissez-y bien afin que votre réponse soit très exacte. »

La jeune femme eut un rire amer.

« Croyez-vous donc que je n'aie pas repassé tout cela vingt fois dans mon esprit ? Il était juste neuf heures et demie, lorsque je suis allée à sa rencontre. Le major Blunt se promenait de long en large sur la terrasse, de sorte que je dus passer derrière les buissons pour l'éviter. Il me fallut environ trois minutes pour arriver au pavillon, de sorte qu'il devait être à peu près dix heures moins vingt-sept lorsque j'y parvins. Ralph m'attendait et nous restâmes ensemble dix minutes, pas plus, car il était juste dix heures moins le quart, lorsque je regagnai la maison. »

Je compris alors pourquoi elle avait demandé avec tant d'insistance s'il était prouvé qu'Ackroyd avait été assassiné avant dix heures moins un quart. La question posée ensuite par Poirot me prouva qu'il avait la même pensée.

« Lequel de vous a quitté le pavillon le premier ?

— Moi.

— Y laissant Ralph Paton ?

— Oui... mais vous ne croyez pas ?

— Madame, ce que je crois n'a aucune importance. Qu'avez-vous fait à votre retour à la maison ?

— Je suis montée dans ma chambre.

— Et vous y êtes restée ?

— Jusqu'à dix heures à peu près.

— Quelqu'un peut-il le certifier ?

— Certifier que j'étais dans la chambre. Oh ! non. Mais... Ah ! je comprends ! On peut supposer... »

Et je vis ses yeux s'emplir d'horreur.

Poirot acheva sa phrase pour elle :

« Que c'est vous qui avez pénétré par la fenêtre et avez frappé M. Ackroyd, assis dans son fauteuil. Oui, on pourrait le croire.

— Il faudrait être insensé », dit Caroline d'un ton indigné, en caressant l'épaule d'Ursula.

Celle-ci cachait son visage entre ses mains.

« C'est horrible, murmurait-elle, horrible ! »

Ma sœur la secoua doucement.

« Ne vous tourmentez pas, ma chère, M. Poirot ne croit pas vraiment cela. Quant à votre mari, je n'ai pas très bonne opinion de lui, je vous l'avoue franchement, car il a mal agi en s'enfuyant et en vous laissant ainsi vous débrouiller. »

Ursula secoua énergiquement la tête.

« Non, s'écria-t-elle. Il ne faut pas dire cela.

Ralph ne serait pas parti; mais je me demande maintenant si, apprenant le meurtre de son beau-père, il n'a pas pensé, lui aussi, que je l'avais commis !

— Il ne pouvait pas avoir une idée pareille, déclara ma sœur.

— J'ai été si cruelle pour lui, ce soir-là, si dure, si amère.. Je n'ai pas voulu écouter ses explications, pas voulu croire qu'il m'aimait vraiment. Je lui ai exprimé ce que je pensais de lui et j'ai tout dit pour le blesser.

— Cela ne lui aura pas fait de mal, affirma Caroline. Ne vous inquiétez pas de ce que vous dites à un homme, il ne vous croira pas si ce n'est pas flatteur : ils sont tous tellement vaniteux ! »

Ursula continua en se tordant les mains :

« Lorsque le meurtre fut découvert et que Ralph ne parut pas, je fus bouleversée. Pendant un instant je me demandai même... mais j'étais sûre qu'il n'aurait pas pu... pas pu... Cependant j'aurais vivement désiré le voir revenir et déclarer hautement qu'il n'était pour rien dans le crime. Je savais qu'il aimait beaucoup le docteur Sheppard et je crus que celui-ci connaissait le secret de sa retraite. »

Elle se tourna vers moi.

« C'est pourquoi je vous ai parlé comme je l'ai fait l'autre jour. Je pensais que vous lui transmettriez mon message si vous saviez où il était.

— Moi ? m'exclamai-je.

— Pourquoi James aurait-il su cela ? demanda vivement Caroline.

— J'avoue que c'était improbable, admit Ursula, mais Ralph m'avait souvent parlé du docteur et j'étais sûre qu'il le considérait comme son meilleur ami à King's Abbot.

— Ma chère enfant, déclarai-je, je n'ai pas la plus petite idée de l'endroit où se trouve en ce moment Ralph Paton.

— Voilà qui est vrai, dit Poirot.

— Mais ?... Ursula nous tendit le journal d'un air étonné.

— Ah ! reprit Poirot, un peu embarrassé, c'est une bagatelle; je suis convaincu que Ralph Paton n'a pas été arrêté.

— Alors... », commença lentement la jeune femme...

Poirot l'interrompit :

« Il y a là un détail que je voudrais connaître : le capitaine Paton portait-il des souliers ou des bottines ce soir-là ? »

Ursula secoua la tête :

« Je ne me souviens pas.

— C'est dommage ! Mais comment vous en souviendriez-vous ? A présent, madame », il lui sourit, en penchant la tête de côté et en remuant éloquemment le doigt, « ne posez pas de questions et ne vous tourmentez pas. Ayez bon courage et confiance en Hercule Poirot. »

CHAPITRE XXIII

LA PETITE RÉUNION DE POIROT

« Et maintenant, dit Caroline en se levant, cette enfant va monter là-haut avec moi pour s'étendre. Ne vous inquiétez pas, ma chère, et soyez assurée que M. Poirot fera tout ce qu'il pourra pour vous.

— Je devais retourner à Fernly », déclara Ursula en hésitant.

Mais ma sœur mit fin à son incertitude.

« Certainement non. Vous m'êtes confiée, pour le moment, et vous resterez ici, n'est-ce pas, monsieur Poirot ?

— C'est ce qu'il y a de mieux, déclara le petit Belge. Ce soir j'aurai besoin de madame pour la petite réunion qui doit avoir lieu chez moi, à neuf heures, sa présence sera fort importante. »

Caroline fit un signe affirmatif et sortit de la pièce avec Ursula. La porte se referma derrière elles et Poirot se laissa tomber sur une chaise.

« Cela va bien jusqu'à présent, fit-il, et la situation s'éclaire.

— Mais elle paraît de plus en plus sombre pour Ralph Paton », observai-je mélancoliquement.

Poirot fit un signe affirmatif.

« C'est vrai. Mais c'était prévu, n'est-ce pas ? »

Surpris par cette remarque, je le regardai. Il se renversait sur le dossier de sa chaise, les yeux à demi fermés, les bouts de ses doigts se touchant.

Soudain, il soupira et secoua la tête.

« Qu'y a-t-il ? demandai-je.

— Il y a des moments où j'ai le grand désir de voir revenir mon ami Hastings, l'ami dont je vous ai parlé et qui réside maintenant en Argentine. Chaque fois que j'avais un cas sérieux il était auprès de moi et il m'a aidé, oui, il m'a aidé souvent. Il avait le don de découvrir la vérité, sans s'en rendre compte lui-même, bien entendu. Il faisait parfois une réflexion saugrenue... qui m'apportait une révélation. Puis il avait l'habitude de rédiger un compte rendu écrit des affaires intéressantes. »

Je toussai avec un peu d'embarras.

« Si ce n'est que cela... », commençai-je, puis je m'arrêtai.

Poirot se redressa, les yeux brillants.

« Que vouliez-vous dire ?

— Eh bien, j'ai lu quelques-uns des récits du capitaine Hastings et j'ai voulu l'imiter. Il me semblait dommage de ne pas le faire. Occasion unique... probablement la seule fois où je serai mêlé à une affaire de ce genre. »

Je devenais de plus en plus rouge et de plus en plus incohérent. Poirot bondit hors de sa chaise. Je craignis un instant qu'il ne voulût m'embrasser à la manière française, mais heureusement il se retint.

« C'est magnifique. Alors vous avez raconté vos impressions au fur et à mesure ? »

Je fis un signe affirmatif.

« Epatant ! cria Poirot. Montrez-moi votre travail, tout de suite. »

Je ne m'étais pas préparé à une demande semblable et je cherchais à me rappeler certains détails.

« J'espère que cela vous sera égal, balbutiai-je... j'ai pu... de temps à autre... faire quelques réflexions...

— Oh ! je comprends parfaitement. Vous m'avez montré sous un aspect comique, peut-être même quelquefois ridicule. Cela n'a aucune importance. Hastings non plus n'était pas toujours poli; je suis au-dessus de ces détails. »

Encore un peu inquiet toutefois, j'ouvris un tiroir de mon bureau et j'y pris une pile de feuilles manuscrites que je lui tendis. En vue d'une publication possible, j'avais divisé mon récit en chapitres et, le soir précédent, j'avais narré la visite de Miss Russell. Poirot était donc en possession de vingt chapitres. Je les lui laissai.

Je fus obligé d'aller voir un client à quelque distance et il était plus de huit heures lorsque je revins. Je trouvai mon souper préparé sur un plateau. J'appris que Poirot et ma sœur avaient dîné ensemble à sept heures et demie et que le détective s'était rendu dans mon atelier pour y terminer la lecture de mon manuscrit.

« J'espère, James, que tu as été prudent dans tes appréciations à mon sujet. »

Je me sentis inquiet car je n'avais pas été prudent du tout.

« Cela n'a pas grande importance, reprit Caroline qui interpréta avec exactitude l'expression de mon visage : M. Poirot se fera une opinion par lui-même, car il me comprend beaucoup mieux que toi. »

Je me rendis dans l'atelier. Poirot était assis près de la fenêtre et le manuscrit était empilé avec soin sur une chaise à côté de lui. Il posa la main dessus et s'écria :

« Je vous félicite de votre modestie.

— Oh ! répondis-je un peu étonné.

— Et... de votre discrétion », ajouta-t-il.

Je répétai : « Oh !

— Hastings n'écrivait pas de cette façon, continua mon ami; à toutes les pages, on retrouvait le mot *Je* et un exposé de *ses* pensées et de *ses* actions; tandis que vous, vous êtes resté à l'arrière-plan et vous ne vous êtes guère mis en scène qu'une ou deux fois dans des tableaux de votre vie domestique, dirions-nous. »

Je rougis un peu en constatant que ses yeux avaient un éclair malicieux.

« Que pensez-vous vraiment de ce travail ? demandai-je nerveusement.

— Vous voulez mon opinion sincère ?

— Certainement. »

Poirot abandonna son ton plaisant et répondit avec bonté :

« C'est un compte rendu très précis et très détaillé. Vous avez rapporté tous les faits fidèlement et exactement, bien que vous vous soyez montré trop modeste en ce qui concerne la part que vous y avez prise.

— Et, vous aide-t-il ?

— Oui, je puis dire qu'il m'a considérablement

aidé. Maintenant venez. Il faut que nous allions chez moi pour préparer la petite conférence. »

Caroline était dans le hall. Je crois qu'elle espérait être invitée à nous accompagner. Poirot usa de tact.

« J'aurais été très content de vous avoir aussi, mademoiselle, dit-il avec regret, mais en ce moment cela ne serait pas prudent, car, voyez-vous, toutes les personnes qui seront réunies ce soir me sont suspectes et je découvrirai parmi elles le meurtrier de M. Ackroyd.

— Vous en être vraiment sûr ? demandai-je d'un ton sceptique.

— Je sens que vous ne le croyez pas, dit sèchement le petit homme. Vous n'avez pas encore vu Hercule Poirot véritablement à l'œuvre. »

A ce moment, Ursula descendit l'escalier.

« Vous êtes prête, mon enfant ? interrogea Poirot. Très bien, nous nous rendrons chez moi ensemble. Croyez, mademoiselle Caroline, que je fais tout ce qui est en mon pouvoir pour vous rendre service, je vous souhaite le bonsoir. »

Nous sortîmes et ma sœur, comme un chien à qui on a refusé de l'emmener à la promenade, demeura sur le perron, nous regardant partir.

Aux « Mélèzes », le salon avait été préparé. Divers sirops et des verres avaient été placés sur la table, ainsi qu'une assiette de biscuits. Plusieurs chaises avaient été également apportées d'une autre pièce.

Poirot courut de droite et de gauche, avançant un siège ici, déplaçant une lampe là, et s'arrêtant parfois pour redresser une des carpettes qui couvraient le plancher. Il s'occupa spécialement de l'éclairage et groupa les lumières de façon à en concentrer l'éclat sur le côté de la pièce où étaient groupées les chaises et à laisser dans la pénombre l'autre extrémité où je supposais qu'il avait l'intention de s'asseoir.

Ursula et moi le regardions. Soudain un coup de sonnette se fit entendre.

« Ils arrivent, dit Poirot. C'est parfait, tout est prêt. »

La porte s'ouvrit et tous les hôtes de Fernly entrèrent. Poirot s'avança pour saluer Mme Ackroyd et Flora.

« Vous êtes bien aimables d'être venues, je vous remercie ainsi que le major Blunt et M. Raymond. »

Ce dernier était bon enfant comme à son ordinaire.

« Quel est votre grand projet ? dit-il en riant. Une expérience scientifique ? Allez-vous mettre autour de nos poignets une lanière sur laquelle seront enregistrés les battements des cœurs coupables ? On opère parfois ainsi, n'est-ce pas ?

— Oui, je l'ai entendu dire, répliqua Poirot, mais moi, je suis vieux jeu; je n'emploie pas les nouvelles méthodes et je ne travaille qu'avec les petites cellules grises de mon cerveau. Commençons; mais tout d'abord j'ai une nouvelle à vous annoncer. »

Il prit Ursula par la main et l'attira en avant.

« Voici Mme Ralph Paton, dit-il. Elle a épousé le capitaine Paton au mois de mars. »

Mme Ackroyd jeta un petit cri.

« Ralph ! marié ! en mars ! Mais c'est absurde. Comment cela pourrait-il être ? »

Elle regarda Ursula comme si elle ne l'avait jamais vue auparavant.

« Marié à Bourne ! répéta-t-elle. En vérité, monsieur Poirot, je ne vous crois pas ! »

Ursula rougit et allait commencer à parler, lorsque Flora la devança. Elle se dirigea vivement vers elle et passa sa main sous son bras.

« Ne soyez pas froissée de notre surprise, dit-elle. Voyez-vous, nous ne nous doutions pas de cela. Vous et Ralph avez fort bien gardé votre secret. Je suis très contente.

— Vous êtes très bonne, Miss Ackroyd, répondit Ursula à voix basse, et pourtant vous auriez tous les droits d'être fâchée, car Ralph s'est très mal conduit, surtout envers vous.

— Ne vous tourmentez pas pour cela, reprit Flora, en lui tapant doucement sur le bras. Ralph était dans une impasse et il a pris le seul moyen d'en sortir; j'en aurais sans doute fait autant à sa place. Mais il aurait dû me confier son secret, je ne l'aurais pas trahi. »

Poirot frappa légèrement sur la table et toussa d'une manière significative.

« Le conseil va entrer en séance, dit Flora, et M. Poirot nous fait comprendre que nous ne devons plus parler. Apprenez-moi seulement une chose : où est Ralph ? Vous devez le savoir ?

— Mais non, je ne sais pas, sanglota Ursula.

— N'a-t-il pas été arrêté à Liverpool ? demanda Raymond. C'est ce qu'annonçait le journal.

— Il n'est pas à Liverpool, déclara brièvement Poirot.

— En réalité, observai-je, personne ne sait où il est.

— Sauf Hercule Poirot, n'est-ce pas ? » interrogea Raymond.

Le détective répondit sérieusement à sa plaisanterie.

« Moi, je sais tout. Souvenez-vous de cela. »

Geoffroy Raymond leva les sourcils.

« Tout ! murmura-t-il, c'est beaucoup.

— Voulez-vous prétendre vraiment que vous pouvez deviner où se cache Ralph Paton ? demandai-je avec incrédulité.

— Deviner, dites-vous ? moi je vous réponds : Je sais, mon ami.

— A Cranchester ? hasardai-je.

— Non, répliqua gravement Poirot, pas à Cranchester. »

Il se tut, mais fit un geste et tous les assistants prirent des sièges. En même temps la porte se rouvrit; deux nouvelles personnes entrèrent et s'assirent. Parker et Miss Russell.

« Nous sommes au complet », dit Poirot.

Sa voix avait un accent de triomphe et je vis une vague d'inquiétude passer sur tous les visages groupés à l'autre extrémité de la pièce. Chacun avait l'impression qu'une trappe venait de se refermer.

Poirot prit une liste et lut d'un air important :

« Mme Ackroyd, Miss Flora Ackroyd, major Blunt, M. Geoffroy Raymond, Mme Ralph Paton, John Parker, Elisabeth Russell. »

Il reposa le papier sur la table.

« Que signifie ceci ?... commença Raymond.

— La liste que je viens de lire, déclara Poirot, est celle des personnes suspectes. Chacun de vous a pu tuer M. Ackroyd. »

Mme Ackroyd poussa un cri et se leva, la gorge haletante.

« Je n'aime pas cela, gémit-elle, non en vérité ! je préfère rentrer.

— Vous ne pouvez rentrer, madame, lui dit sévèrement Poirot, jusqu'à ce que vous ayez entendu ce que j'ai à vous dire. »

Il s'arrêta un instant et toussa pour s'éclaircir la voix.

« Je vais commencer par le commencement : lorsque Miss Ackroyd me demanda de m'occuper de l'affaire, je me rendis à Fernly Park, en compagnie du bon docteur Sheppard. Je longeai la terrasse avec lui et on me montra des empreintes sur l'appui de la fenêtre. De là l'inspecteur Raglan me conduisit au sentier qui aboutit à l'allée principale. Mon regard fut attiré par le pavillon d'été et je le fouillai consciencieusement. J'y trouvai deux objets : un morceau de linon et une plume d'oie dont le tuyau était vide. Le morceau de linon me suggéra aussitôt l'idée d'un tablier de femme de chambre, puis, lorsque l'inspecteur Raglan me montra la liste des personnes qui se trouvaient dans la maison, je constatai que l'une des femmes de chambre, Ursula Bourne, ne présentait pas d'alibi véritable.

« D'après sa déposition, elle était demeurée dans sa chambre de neuf heures trente à dix heures, mais qui sait si, en réalité, elle ne se trouvait pas dans le pavillon ? Dans ce cas elle avait dû s'y rendre pour y rencontrer quelqu'un. Or, nous savions, par le docteur Sheppard, qu'une personne étrangère était venue à Fernly, ce soir-là, l'inconnu qu'il avait rencontré près de la grille. Au premier abord il semblait que notre problème était résolu et que cet homme était venu au pavillon pour y voir Ursula Bourne. Le fait qu'il s'y était trouvé paraissait à peu près démontré par la découverte de la plume d'oie; celle-ci m'avait immédiatement donné l'idée qu'il s'agissait de quelqu'un qui s'adonnait aux stupéfiants.

L'inconnu avait dû prendre cette habitude de l'autre côté de l'Atlantique où l'usage de renifler l'héroïne est plus courant qu'ici. Or, l'homme rencontré par le docteur Sheppard avait l'accent américain. Tout semblait donc confirmer ma supposition.

« Mais un détail m'arrêta : les heures ne concordaient pas. Ursula Bourne n'avait certainement pas pu se rendre au pavillon avant neuf heures et demie, tandis que l'homme y était arrivé quelques minutes seulement après neuf heures. Evidemment je pouvais supposer qu'il avait attendu pendant une demi-heure, mais une autre hypothèse était également à envisager; il avait pu y avoir ce soir-là deux rendez-vous dans le pavillon. Dès que cette idée me fut venue, plusieurs faits significatifs se présentèrent à moi. Je découvris que Miss Russell, la gouvernante, avait, le matin, fait une visite au docteur Sheppard et montré beaucoup d'intérêt pour tout ce qui concernait la manière de guérir les victimes des drogues. En rapprochant ce fait de la perte de la plume d'oie dans le pavillon, j'en inférai que l'étranger en question était venu à Fernly pour y avoir un entretien avec Miss Russell et non pas avec Ursula Bourne.

« Qui donc Ursula était-elle allée voir ? Je ne fus pas longtemps dans le doute. D'abord je trouvai une alliance avec les mots : donné par R., et une date, gravés à l'intérieur; puis j'appris que Ralph Paton avait été vu dans le sentier conduisant au pavillon à neuf heures vingt-cinq. On me rapporta également une conversation qui avait eu lieu dans le bois, près du village, au cours de l'après-midi du même jour entre Ralph et une femme inconnue. De sorte que les faits s'enchaînaient avec beaucoup d'ordre :

un mariage clandestin, des fiançailles annoncées le jour même du drame, une entrevue orageuse dans le bois et enfin un rendez-vous fixé pour le soir dans le pavillon. Ceci me prouva incidemment que Ralph et Ursula Bourne ou plutôt Ursula Paton, avaient le plus grand intérêt à se débarrasser de M. Ackroyd.

« Mais un autre détail devint évident pour moi : il était impossible que Ralph Paton se fût trouvé à neuf heures et demie avec M. Ackroyd dans son cabinet de travail. Et ici, apparaît un nouvel et fort intéressant aspect du crime.

« Qui était avec la victime à neuf heures trente ? Ce n'était pas Ralph Paton, puisqu'il était dans le pavillon avec sa femme; ce n'était pas Charles Kent, puisqu'il était déjà parti. C'est alors que j'en vins à ma plus habile, à ma plus audacieuse déduction et que je me posai la question suivante : Y avait-il quelqu'un avec lui ? »

Poirot se pencha en avant et nous jeta triomphalement ces derniers mots, puis il se redressa avec l'air d'un homme qui a porté un grand coup.

Cependant Raymond ne fut pas impressionné et protesta :

« Je ne sais si vous voulez me faire passer pour un menteur, monsieur Poirot; sur ce point, il y a une autre déposition qui confirme la mienne, sauf peut-être les mots prononcés. Souvenez-vous que le major Blunt a également entendu M. Ackroyd parler à quelqu'un. Il était dehors sur la terrasse et n'a pu distinguer clairement ses paroles, mais il a reconnu sa voix. »

Poirot fit un signe affirmatif.

« Je n'ai pas oublié, dit-il tranquillement, mais le

major Blunt avait l'impression que c'était à vous que parlait Ackroyd. »

Raymond parut décontenancé pendant un instant, puis il se ressaisit.

« Blunt sait maintenant qu'il s'est trompé.

— En effet, admit le major.

— Pourtant, reprit Poirot, il devait avoir un motif pour le croire. Ah ! non ! dit-il en levant la main, comme pour protester, je sais la raison que vous allez donner, mais elle n'est pas suffisante; il faut en chercher une autre et voici quelle est mon opinion : j'ai été frappé depuis le début par les mots que M. Raymond a entendus; je suis bien étonné que personne n'y ait attaché d'importance et ne les ait jugés bizarres. »

Il s'arrêta un instant et récita doucement :

« Les emprunts faits à ma bourse ont été si fré-
« quents récemment que je crains de ne pouvoir
« accéder à votre requête. »

« Est-ce que vous ne remarquez rien ?

— Non, dit Raymond; il m'a souvent dicté des lettres en employant presque les mêmes termes.

— C'est là que je voulais en arriver. La phrase que je viens de répéter n'est pas de celles que l'on emploierait dans la conversation, tandis qu'en dictant une lettre...

— Vous pensez qu'il en lisait une à haute voix ? fit Raymond lentement; mais, même dans ce cas, il devait la lire à quelqu'un.

— Pourquoi ? Rien ne nous prouve qu'il y avait une autre personne dans la pièce. Souvenez-vous que seule la voix de M. Ackroyd a été entendue.

— Mais, voyons, un homme ne lirait pas ainsi des lettres tout haut, à moins d'être fou !

— Vous avez tous oublié quelque chose, reprit Poirot, toujours d'une voix douce, la visite de l'étranger qui était venu le mercredi précédent. »

Tous les assistants regardèrent le détective avec stupeur.

« Mais oui, continua-t-il, mais oui, le mercredi. Ce jeune homme n'offrait aucun intérêt en lui-même, mais la maison qu'il représentait retint mon attention.

— La compagnie du dictaphone ! s'exclama Raymond. Je comprends maintenant. Voilà à quoi vous pensez. »

Poirot acquiesça d'un geste.

« M. Ackroyd avait promis, si vous vous en souvenez, d'acheter un dictaphone ! j'ai eu la curiosité de faire une enquête auprès de la maison en question. On m'a répondu que M. Ackroyd a acheté, en effet, un instrument au représentant qui vint le voir. Par exemple, j'ignore pourquoi il vous a caché cette emplette.

— Sans doute a-t-il pensé me faire une surprise, murmura Raymond. Il avait un désir enfantin de surprendre les gens et il est possible qu'il ait voulu garder son petit secret par-devers lui pendant un jour ou deux. Il devait s'amuser avec cet appareil comme avec un jouet nouveau. Oui, tout cela concorde et vous avez raison, monsieur Poirot. Personne ne parlerait ainsi dans le langage courant.

— Cela explique également, dit Poirot, pourquoi le major Blunt a cru que vous vous trouviez dans le cabinet de travail. Les bribes de phrases qu'il entendit semblaient être dictées et il a dû avoir inconsciemment l'idée que M. Ackroyd était avec vous. Sa pensée était, en effet, dirigée vers un autre objet : il songeait à la forme blanche qu'il venait d'apercevoir et qu'il avait prise pour Miss Ackroyd. En réalité ce qu'il avait vu dans l'ombre, c'était le tablier blanc d'Ursula Bourne, au moment où elle s'en allait vers le pavillon. »

Raymond s'était remis de sa surprise.

« Cependant, remarqua-t-il, si brillante que soit votre découverte, elle ne change rien à l'état des choses. M. Ackroyd était vivant à neuf heures trente, puisqu'il parlait dans le dictaphone; or, il paraît que Charles Kent était bel et bien parti à cette heure-là et quant à Ralph Paton... », il hésita et regarda Ursula.

Celle-ci rougit, mais répondit promptement :

« Ralph et moi nous sommes quittés exactement à dix heures moins un quart, et je suis absolument sûre qu'il ne s'est pas approché de la maison. Il n'en avait pas la moindre intention, au contraire, il désirait avant tout ne pas se retrouver face à face avec son beau-père. La situation aurait été trop critique pour lui.

— Je ne mets pas votre récit en doute un seul instant, reprit Raymond. J'ai toujours été convaincu que le capitaine Paton est innocent; mais il faut songer au procès et aux questions qui y seront posées. Sa situation sera fort embarrassante. Cependant s'il se montrait... »

Poirot l'interrompit :

« Tel est votre avis, n'est-ce pas ? Il doit se montrer ?

— Certainement; si vous connaissiez l'endroit où il se trouve...

— Je m'aperçois que vous ne croyez pas que je le connais... pourtant ne vous ai-je pas dit que je sais

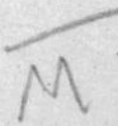

tout... tout : la vérité sur le coup de téléphone, sur les empreintes de la fenêtre, sur la retraite de Ralph Paton...

— Où est-il donc ? demanda vivement Blunt.

— A Cranchester ? » demandai-je.

Poirot me fit face.

« Vous me posez toujours la même question : à Cranchester ? C'est une idée fixe chez vous. Non, il n'est pas à Cranchester... il est là... »

Et il étendit la main d'un geste mélodramatique. Tout le monde se retourna.

Ralph Paton se tenait debout sur le seuil de la porte.

CHAPITRE XXIV

LE RÉCIT DE RALPH PATON

JE ME sentis fort mal à l'aise et je me souviens à peine de ce qui arriva ensuite. Il y eut des exclamations et des cris de surprise. Lorsque je fus redevenu suffisamment maître de moi, pour me rendre compte de ce qui se passait, Ralph Paton était debout près de sa femme dont il tenait la main dans les siennes et il me souriait à travers la pièce.

Poirot souriait également et secouait élogieusement un doigt dans ma direction.

« Ne vous ai-je pas dit au moins trente-six fois qu'il est inutile de cacher quelque chose à Hercule Poirot ? demanda-t-il, et que dans un cas semblable, il découvre tout ? »

Il se tourna ensuite vers les autres personnes.

« Si vous vous en souvenez, un jour, nous avons eu déjà une petite réunion, autour de la table, tous les six et j'ai accusé les cinq autres personnes de me cacher quelque chose. Quatre d'entre elles m'ont confié leur secret, mais le docteur Sheppard ne m'a pas avoué le sien. Cependant j'avais sans cesse eu des soupçons le soir du crime; il s'était rendu aux « Trois-Dindons » espérant y trouver Ralph; il ne l'y avait pas rencontré, mais j'ai pensé qu'il avait pu le croiser ensuite dans la rue. Le docteur Sheppard était l'ami du capitaine Paton et il venait tout droit du lieu du crime; il savait donc que les apparences étaient contre lui ! Peut-être en savait-il plus long que les autres...

— En effet, dis-je d'une voix sombre, et je suppose qu'il vaut mieux maintenant que j'avoue tout. Je suis allé voir Ralph dans l'après-midi. Il refusa tout d'abord de me faire ses confidences, mais ensuite il me parla de son mariage et de l'impasse où il se trouvait. Dès que le meurtre fut découvert, je me rendis compte que si les faits qu'il m'avait dévoilés, étaient connus, il serait certainement soupçonné... ou, à défaut de Ralph, celle qu'il aimait. Ce soir-là, je le lui déclarai nettement et la crainte d'avoir à faire une déposition dans laquelle il pourrait incriminer sa femme, le décida à... à... »

J'hésitai et Ralph me vint en aide :

« A donner le change, continua-t-il; Ursula m'avait quitté pour retourner à la maison et il me parut possible qu'elle eût tenté d'avoir un nouvel entretien avec mon beau-père. Celui-ci s'était montré fort impoli avec elle dans la journée. Je craignis qu'il ne l'eût insultée à nouveau d'une manière si impardonnable que, sans savoir ce qu'elle faisait... »

Il s'arrêta. Ursula lui retira sa main et fit un pas en arrière.

« Vous avez cru cela, Ralph ? Vous avez vraiment pensé que j'aurais pu agir ainsi ?

— Revenons à la conduite du docteur Sheppard, interrompit Poirot sèchement. Il consentit à faire ce qu'il pourrait pour aider le capitaine Paton et parvint à le soustraire à la police.

— Comment ? demanda Raymond. L'a-t-il recueilli chez lui ?

— Non, certes, dit Poirot; vous vous posez la même question que moi. Si le bon docteur a caché le jeune homme, quel endroit a-t-il choisi ? Evidemment un lieu voisin. Je pensai à Cranchester. Dans un hôtel ? Non. Dans un logement meublé ? J'eus l'idée que ce pouvait être dans une maison de santé, et, de préférence dans un asile d'aliénés. J'ai voulu m'assurer que ma supposition était exacte; j'ai créé de toutes pièces un neveu qui était atteint de troubles mentaux et j'ai demandé à Miss Sheppard de m'indiquer les établissements où l'on soignait ce genre de maladies. Elle m'en désigna deux près de Cranchester auxquels son frère avait envoyé des malades. J'y fis une petite enquête et j'appris que le docteur avait lui-même amené un client le samedi matin, de fort bonne heure. Bien qu'il eût donné un autre nom, je n'eus aucune difficulté à reconnaître dans ce malade le capitaine Paton et, après avoir rempli quelques formalités, je fus autorisé à l'emmener; il arriva chez moi, hier matin, à l'aube. »

Je regardai mélancoliquement Poirot.

« L'expert de Caroline ! murmurai-je. Et dire que je n'ai pas deviné !

— Vous comprenez maintenant pourquoi j'ai fait allusion aux réticences de votre manuscrit ? me dit Poirot. Il est parfaitement sincère dans l'exposé des faits qu'il raconte... mais il ne raconte pas tout, n'est-ce pas, mon ami ? »

J'étais trop abasourdi pour discuter.

« Le docteur Sheppard a été très loyal, dit Ralph,

et il s'est conduit comme un fidèle ami. Il a fait ce qu'il croyait être le mieux. Je vois maintenant, d'après ce que m'a dit M. Poirot, qu'il se trompait. J'aurais dû venir et accepter toutes les conséquences de la situation dans laquelle je me trouvais; mais vous comprenez, dans la maison de santé, nous ne voyions jamais les journaux et je ne savais rien de ce qui se passait.

— Le docteur Sheppard s'est montré un modèle de discrétion, dit froidement Poirot, mais moi, je découvre tous les petits secrets, c'est mon métier.

— Maintenant, vous allez nous raconter ce qui s'est passé ce soir-là, dit impatiemment Raymond, en s'adressant à Ralph.

— Vous le savez déjà, répondit ce dernier, et je n'ai pas grand-chose à ajouter. J'ai quitté le pavillon vers neuf heures quarante-cinq et je me suis promené dans les bois en essayant de me décider sur le meilleur parti à prendre. Je suis obligé d'avouer que je n'ai pas l'ombre d'alibi, mais je vous donne solennellement ma parole que je ne suis pas allé dans le cabinet de travail et que je n'ai vu mon beau-père ni vivant, ni mort. Quoi que puissent en penser les autres personnes, je voudrais, au moins, que vous me croyiez tous.

— Pas d'alibi, murmura Raymond, voilà qui est terrible. Je vous crois, naturellement, mais... l'affaire se présente très mal.

— Cela rend les choses fort simples, au contraire, dit Poirot d'une voix gaie, fort simples en vérité. »

Nous le regardâmes tous avec stupeur.

« Vous comprenez ce que cela signifie ?... Non ?... Simplement ceci : pour sauver le capitaine Paton, il faut que le véritable criminel avoue... »

Et il nous contempla en souriant.

« Mais oui; je sais ce que je veux dire. Vous avez pu remarquer que je n'ai pas demandé à l'inspecteur Raglan de venir ici ce soir. J'avais une raison pour cela. Je ne voulais pas lui dévoiler tout ce que je savais, du moins, je ne voulais pas le lui dévoiler dès maintenant. »

Il se pencha en avant et soudain, sa voix, sa personne tout entière se modifièrent. Il devint menaçant.

« Moi qui vous parle... j'ai la certitude que l'assassin de M. Ackroyd se trouve en ce moment dans cette pièce. C'est à lui que je m'adresse et je lui dis : Demain, l'inspecteur Raglan saura la vérité... Comprenez-vous ? »

Il y eut un lourd silence qui fut interrompu par l'entrée de la vieille Bretonne, portant un plateau sur lequel se trouvait un télégramme. Poirot l'ouvrit, mais la voix de Blunt s'élevait sonore :

« Vous dites que le meurtrier se trouve parmi nous. Le connaissez-vous ? »

Poirot avait lu la dépêche; il la froissa et répondit en la montrant : « Je le connais... maintenant. »

« Qu'est-ce que cela ? demanda Raymond.

— Un message par sans-fil venant d'un paquebot qui est en route pour les Etats-Unis. »

Le silence retomba. Poirot se leva, salua et dit :

« Mesdames et messieurs, notre réunion n'a plus d'objet, mais souvenez-vous de ceci : demain matin, l'inspecteur Raglan saura la vérité. »

CHAPITRE XXV

LA VÉRITÉ

UN GESTE de Poirot me retint après le départ des autres personnes. J'obéis, me dirigeai vers le foyer et commençai machinalement à pousser les bûches du bout de mon soulier.

J'étais fort intrigué et, pour la première fois, je renonçais à comprendre les intentions de Poirot. Je crus un moment que la scène à laquelle je venais d'assister n'était qu'une comédie, imaginée par le détective pour se donner de l'importance. Mais, malgré moi, je fus obligé de croire qu'elle avait une signification cachée. Les paroles de Poirot avaient exprimé une véritable menace et avaient eu un indéniable accent de sincérité. Cependant, je continuais à le croire sur une fausse piste.

Lorsque la porte se fut refermée derrière ses hôtes, il vint vers la cheminée et dit tranquillement :

« Eh bien, mon ami ? Qu'en pensez-vous ?

— Je ne sais que croire, répondis-je avec franchise. Quel est votre but ? Pourquoi n'êtes-vous pas allé trouver l'inspecteur Raglan directement, au lieu de prévenir le coupable d'une manière aussi compliquée ? »

Poirot s'assit et prit son étui de cigarettes russes. Il fuma en silence pendant quelques minutes, puis il dit enfin :

« Faites appel à vos petites cellules grises. Mes actes ont toujours leur raison. »

J'hésitai un instant, puis je dis lentement :

« La première pensée qui me vient à l'esprit, c'est que vous ne savez pas vraiment quel est le coupable, tout en étant persuadé qu'il se trouvait au nombre des personnes qui étaient assemblées ici, ce soir. Vos paroles ont donc eu pour objet de l'obliger à se découvrir. »

Poirot fit un signe approbateur.

« Idée ingénieuse, mais inexacte.

— J'ai cru que vous aviez l'espoir de l'obliger à se dévoiler, en lui faisant supposer que vous le connaissiez... et peut-être pas en obtenant de lui une confession. Il pourrait avoir l'idée de vous réduire au silence par le même moyen qu'il a employé avec M. Ackroyd... avant que vous n'agissiez demain matin.

— Un piège dont je serais l'appât. Merci, mon ami ! Je ne suis pas assez héroïque pour cela !

— Alors, je renonce à comprendre. Vous courez le risque de laisser le meurtrier s'échapper en le mettant ainsi sur ses gardes. »

Poirot secoua la tête.

« Il ne peut s'échapper, dit-il gravement. Il n'a qu'un moyen d'évasion... qui ne conduit pas à la liberté.

— Vous pensez véritablement qu'une des personnes qui se trouvaient réunies ici ce soir, a commis le meurtre ? demandai je avec incrédulité.

— Oui, mon ami.

— Laquelle ? »

Il y eut un silence qui dura quelques minutes. Puis, Poirot jeta le bout de sa cigarette dans la cheminée et commença à parler d'un ton mesuré et réfléchi :

« Je vais vous faire suivre le chemin que j'ai suivi moi-même; vous m'y accompagnerez pas à pas et vous vous rendrez compte que tous les faits conduisent indiscutablement vers la même personne.

« Pour commencer, deux incidents et une légère différence d'heure attirèrent mon attention. Le premier de ces incidents fut le coup de téléphone. Si Ralph Paton était vraiment le meurtrier cette communication n'avait aucune raison d'être. Je me convainquis donc que Ralph Paton n'était pas l'auteur du crime. Ensuite, je m'assurai que cet appel n'avait été envoyé par aucune des personnes qui se trouvaient dans la maison. Pourtant j'étais certain qu'il fallait chercher le criminel parmi ceux qui y étaient réunis le soir fatal. J'en conclus que la communication téléphonique avait été demandée par un complice. Cette déduction ne me plaisait pas tout à fait, mais je m'y tins provisoirement.

« J'examinai ensuite la *raison* de cet appel. Elle était difficile à préciser et je ne la pénétrai qu'en examinant quel avait été le résultat de la communication dont nous parlons : la découverte immédiate du meurtre, qui, selon toute probabilité, n'eût été, sans cela, constaté que le lendemain matin. Vous êtes de mon avis ?

— Ou... Oui. Ainsi que vous le dites, M. Ackroyd

ayant donné des ordres pour ne plus être dérangé, personne, sans doute, ne se serait rendu dans son cabinet, ce soir-là.

— Fort bien. L'affaire prend tournure, n'est-ce pas ? Cependant elle reste encore obscure. Où était l'avantage de provoquer la découverte du crime dès ce soir-là, de préférence au lendemain matin ? La seule raison que je pus trouver, fut que le coupable, sachant que le meurtre devait être connu à un moment quelconque, voulait se ménager la possibilité d'assister à l'ouverture de la porte... ou tout au moins, de se rendre sur les lieux aussitôt après.

« Maintenant, nous arrivons au second incident : le déplacement de la bergère. L'inspecteur Raglan n'y attacha aucune importance, tandis que j'ai toujours, au contraire, considéré ce point comme capital.

« Vous avez dessiné un petit plan net du cabinet de travail. Si vous l'aviez en ce moment, sous les yeux, vous vous apercevriez que le fauteuil placé dans la position qu'a indiquée le maître d'hôtel, se trouvait juste entre la porte et la fenêtre.

— La fenêtre ! dis-je vivement.

— Vous partagez ma première idée, n'est-ce pas ? Je pensai d'abord que la bergère avait été disposée ainsi pour cacher à une personne entrant par la porte quelque chose qui se rapportait à la fenêtre; puis j'abandonnai rapidement cette opinion car, bien que le fauteuil eût un haut dossier, il ne dissimulait qu'une faible portion de cette ouverture et seulement dans la partie inférieure. Non, mon ami... Mais souvenez-vous que, juste devant la fenêtre, se trouvait une table chargée de livres et de journaux.

Celle-ci était complètement cachée par la bergère... et c'est ce qui me donna ma première vague intuition de la vérité.

« Supposons qu'il y eût, sur la table, un objet que l'on voulût soustraire aux regards et qui y eût été placé par le meurtrier ? Je n'eus pas, au premier abord, la plus petite idée de ce que pouvait bien être cet objet, mais je recueillis divers indices intéressants à ce sujet.

« D'abord, le coupable n'avait pas pu l'emporter au moment où il avait commis le crime... d'où la nécessité de l'appel téléphonique qui lui donnait l'occasion d'être présent à l'instant où le corps fut découvert. Or, quatre personnes se trouvèrent sur les lieux, avant l'arrivée de la police. Vous-même, Parker, le major Blunt et M. Raymond. J'éliminai Parker aussitôt, car quel que fût le moment où le crime serait constaté, il était certain de pouvoir être là. De plus, c'était lui qui avait parlé du fauteuil déplacé. Je le considérai donc comme innocent — en ce qui concernait le meurtre tout au moins — car je continuai à croire possible qu'il eût fait chanter Mme Ferrars. Mais Raymond et Blunt me demeurèrent suspects parce que, si le crime avait été découvert de bonne heure dans la matinée, ils pouvaient craindre d'arriver trop tard pour empêcher l'objet posé sur la table ronde d'être vu.

« Maintenant quel était cet objet ? Vous avez ce soir entendu mes arguments au sujet de la conversation saisie par M. Raymond. Dès que je sus qu'un représentant d'une Société de dictaphones était venu chez M. Ackroyd, l'idée qu'il s'agissait d'un appareil de ce genre prit racine dans mon esprit. Vous vous rappelez ce que j'ai dit, ici même, il y a une demi-heure ? Tous ont accepté mon hypothèse, mais un point d'une importance capitale paraît avoir échappé à ceux qui m'écoutaient : en admettant que M. Ackroyd se soit servi d'un dictaphone, ce soir-là, pourquoi ne l'a-t-on pas retrouvé ?

— Je n'ai pas pensé à cela, dis-je.

— Nous savons qu'un dictaphone a été livré à M. Ackroyd. Mais, je le répète, on ne l'a pas retrouvé chez lui. Donc, si quelque chose a été pris sur cette table, pourquoi ne serait-ce pas justement ce dictaphone ? Il y avait pourtant quelques difficultés ! Evidemment l'attention de toutes les personnes qui se trouvaient dans la pièce était concentrée, lorsque le crime a été découvert, sur l'homme assassiné et je crois que n'importe qui pouvait se diriger vers la table sans être remarqué. Mais un dictaphone a un certain volume et ne peut être glissé dans une poche. Il a donc fallu que celui qui l'a emporté fût muni de quelque objet dans lequel il pût l'enfermer. Vous voyez où je veux en venir. La silhouette du meurtrier se dessine. C'était une personne qui se trouvait sur le lieu du crime, mais qui aurait pu ne pas y être si celui-ci n'avait été constaté que le lendemain matin, une personne qui avait pris les mesures nécessaires pour cacher le dictaphone et le faire disparaître... »

Je l'interrompis :

« Mais pourquoi l'enlever ? Dans quel but ?

— Vous êtes comme M. Raymond : vous admettez *a priori* que la voix qu'il a entendue à neuf heures était celle de M. Ackroyd parlant dans un dictaphone. Veuillez, au contraire, vous rappeler quelle est l'utilité de cette petite invention ? On dicte devant l'appareil, n'est-ce pas ? Puis, plus tard, un secrétaire ou un employé le met en marche et la voix se fait entendre à nouveau.

— Voulez-vous dire... ? » m'écriai-je haletant.

Poirot fit un signe affirmatif.

« Effectivement : à neuf heures trente, M. Ackroyd était déjà mort. C'était le dictaphone qui parlait, ce n'était pas lui.

— Alors, le meurtrier a mis l'appareil en marche ? Il était donc dans la pièce à cet instant ?

— Peut-être. Toutefois nous ne devons pas exclure l'hypothèse d'un dispositif mécanique, comme celui d'une serrure automatique, ou, plus simplement encore, d'un réveille-matin. Mais, dans ce cas, nous devons ajouter deux traits à notre portrait imaginaire du meurtrier : il fallait d'abord qu'il sût que M. Ackroyd avait acheté un dictaphone et ensuite qu'il possédât quelques connaissances en mécanique.

« J'en étais là de mes déductions lorsque nous découvrîmes les empreintes de pas sur l'appui de la fenêtre. Ici trois hypothèses s'offrirent à moi : premièrement, ces empreintes pouvaient être réellement celles de Ralph Paton. Il avait pu venir à Fernly ce soir-là, se hisser dans le cabinet de travail et y trouver son beau-père mort. Deuxièmement, elles pouvaient être celles d'une autre personne dont les bottines auraient eu le même genre de talonnettes. Mais tous les habitants de la maison avaient des chaussures à semelles de caoutchouc et je me refusais à croire à la surprenante coïncidence d'un étranger dont les souliers eussent été exactement semblables à ceux que, portait Ralph Paton. Rappelez-vous d'ailleurs que, suivant la déposition de la servante de l'auberge du « Chien et du Sifflet », Charles Kent avait des bottines en lambeaux. Troisièmement : ces empreintes avaient pu être faites par quelqu'un qui cherchait délibérément à égarer les soupçons sur Ralph Paton.

« Afin de vérifier cette dernière hypothèse, il m'était nécessaire de contrôler certains faits. La police avait trouvé aux Trois-Dindons une paire de souliers appartenant à Ralph. Ni celui-ci, ni personne d'autre ne pouvait les avoir portés ce soir-là puisque les domestiques de l'auberge les avaient pris pour les nettoyer.

« D'après ce que supposait la police, Ralph avait mis une autre paire de chaussures semblable et je découvris qu'il en avait effectivement deux paires. Or, pour que ma déduction fût exacte, il était indispensable que le meurtrier eût chaussé, ce soir-là, les souliers de Paton. Il fallait donc que ce dernier en eût une troisième paire aux pieds. Je pouvais difficilement admettre qu'il avait apporté trois paires de chaussures identiques; il était donc probable que cette troisième paire était constituée par des bottines. Je fis faire une petite enquête sur ce point par votre sœur, en insistant sur la couleur, de manière — je l'avoue franchement — à dissimuler la véritable raison de ma question.

« Vous connaissez le résultat de ses recherches : Ralph Paton avait apporté une paire de bottines.

« La première chose que je lui demandai quand il arriva chez moi, hier matin, fut de me dire quel genre de chaussures il avait aux pieds le soir fatal. Il me répondit tout de suite qu'il portait des bottines; il les portait d'ailleurs encore, n'ayant rien d'autre à mettre.

« Notre description du meurtrier s'augmente donc

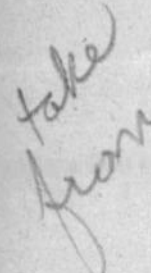

d'un détail : c'était une personne qui avait eu l'occasion de s'emparer aux Trois-Dindons, dans la journée, des souliers de Ralph Paton. »

Il s'arrêta, puis reprit d'un ton un peu plus élevé :

« Autre détail, il fallait que le meurtrier ait eu la possibilité de prendre le poignard dans la table d'argent. Vous pourriez répondre que n'importe lequel des habitants de la maison était en situation de le faire, mais je vous rappelle que Miss Ackroyd a déclaré péremptoirement qu'elle n'a pas vu le poignard lorsqu'elle a examiné le contenu de la vitrine. »

Il s'arrêta encore.

« Récapitulons maintenant que tout est clair : le coupable est un homme qui est allé aux Trois-Dindons, ce jour-là, qui connaissait assez bien M. Ackroyd pour savoir qu'il avait acheté un dictaphone et qui possédait certaines notions de mécanique; un homme qui a eu l'occasion de retirer le poignard de la vitrine avant l'arrivée de Miss Flora et qui s'était ménagé le moyen de dissimuler et d'emporter le dictaphone... dans un sac noir, par exemple, un homme enfin qui est demeuré seul dans le cabinet de travail quelques minutes après la découverte du crime, pendant que Parker téléphonait pour appeler la police... en un mot : le docteur Sheppard ! »

CHAPITRE XXVI

... ET RIEN QUE LA VÉRITÉ

IL Y EUT un silence de mort pendant une minute. Puis j'éclatai de rire.

« Vous êtes fou, dis-je.

— Non, répondit Poirot avec calme, je ne suis pas fou. C'est la petite différence d'heure qui a dès l'abord attiré mon attention sur vous.

— La petite différence d'heure ? demandai-je, intrigué.

— Mais oui. Rappelez-vous que tout le monde, vous compris, a été d'accord pour déclarer qu'il fallait cinq minutes pour aller de la maison à la grille et même un peu moins en prenant le raccourci qui conduit à la terrasse. Or, vous avez quitté la maison à neuf heures moins dix, d'après votre déclaration, corroborée par celle de Parker et, pourtant, il était neuf heures lorsque vous avez franchi la grille du parc. La soirée était froide et la température ne devait inciter personne à s'attarder. Pourquoi donc vous avait-il fallu dix minutes pour faire un trajet qui n'en demandait que cinq au plus ?

Depuis le début je m'étais aperçu que, seule, votre affirmation nous donnait à penser que la fenêtre du cabinet de travail était bien fermée. Ackroyd vous l'avait demandé, mais n'était pas allé le vérifier.

« Supposons donc qu'elle était ouverte. Auriez-vous, en dix minutes, le temps de sortir de la maison, de changer de soulier, d'entrer par la fenêtre, de tuer Ackroyd et de gagner la grille ?

« Cette hypothèse ne me parut pas vraisemblable, car, nerveux comme l'était ce soir-là le maître de Fernly, il vous eût entendu venir et il y aurait eu lutte. Mais ne l'aviez-vous pas tué avant de partir, pendant que vous étiez debout derrière son fauteuil ? Ensuite vous seriez sorti par la porte principale, vous auriez couru jusqu'au pavillon et pris les souliers de Ralph Paton dans le sac que vous aviez apporté, vous les auriez mis et vous auriez traversé un endroit boueux afin de laisser des empreintes sur l'appui de la fenêtre, puis vous auriez escaladé celle-ci, fermé à clef la porte à l'intérieur; enfin vous seriez retourné au pavillon pour remettre vos propres chaussures et vous auriez couru jusqu'à la grille.

« J'ai entrepris de répéter ces divers actes l'autre jour pendant que vous causiez avec Mme Ackroyd et le tout m'a demandé juste dix minutes. Après cela vous êtes rentré chez vous, ce qui vous a fourni un alibi, puisque vous aviez pris vos mesures pour que le dictaphone parlât à neuf heures trente.

— Mon cher Poirot, dis-je d'une voix qui résonna étrange et forcée à mes propres oreilles, vous avez travaillé sur cette affaire depuis trop longtemps ! Pourquoi aurais-je tué Ackroyd ?

— Pour assurer votre sécurité. C'est vous qui avez fait chanter Mme Ferrars. Qui mieux que le médecin ayant soigné son mari, pouvait savoir comment celui-ci était mort ? Le jour où, dans le jardin, vous m'avez parlé pour la première fois, vous avez fait allusion à un héritage que vous auriez recueilli il y a environ un an. J'ai fait une enquête et n'en ai trouvé aucune trace; mais il fallait que vous inventiez une explication en ce qui concernait les vingt mille livres de Mme Ferrars. Cette somme ne vous a, d'ailleurs, guère été profitable car vous en avez perdu la plus grande partie en spéculations. Alors vous avez exagéré et Mme Ferrars a choisi un moyen d'évasion que vous n'aviez pas prévu. Si Ackroyd avait appris la vérité, il n'aurait eu aucune pitié pour vous et vous auriez été irrémédiablement perdu.

— Et l'appel téléphonique ? demandai-je en essayant de me ressaisir. Je suppose que vous en avez aussi trouvé une explication satisfaisante ?

— Je vous avoue que c'est ce qui m'a le plus dérouté, lorsque j'eus constaté qu'on vous avait effectivement téléphoné de la gare de King's Abbot. J'avais cru d'abord que vous aviez tout simplement inventé cette histoire. C'était, au contraire, fort habile de votre part. Il vous fallait une raison pour revenir à Fernly, trouver le corps et vous procurer ainsi l'occasion d'enlever le dictaphone, grâce auquel vous pourriez invoquer un alibi. Je n'avais qu'une idée très vague de la manière dont vous aviez pu opérer lorsque je vins, pour la première fois, voir votre sœur et lui demandai quels étaient les malades que vous aviez reçus le vendredi matin. Je ne pensais pas à Miss Russell à ce moment-là et sa visite a constitué une heureuse coïncidence; car elle a détourné votre esprit du but réel de ma question. Je découvris ce que je cherchais : parmi vos clients se trouvait, ce jour-là, le stewart d'un paquebot americain. N'était-il pas vraisemblable que ce devait être lui qui était parti pour Liverpool par le train du soir ? Ensuite, il devait être en mer, hors d'atteinte. Je notai que l'*Orion* avait appareillé samedi et, m'étant procuré le nom de son stewart, je lui posai une question par sans-fil. C'est sa réponse que je reçus tout à l'heure. »

Poirot me tendit le télégramme qui était ainsi conçu :

Fort exact. Le docteur Sheppard m'avait demandé de déposer une lettre chez un de ses clients et de lui téléphoner la réponse de la gare. Je lui ai téléphoné : « Pas de réponse. »

« Vous avez eu là une idée géniale, déclara Poirot. La communication téléphonique avait existé et votre sœur vous avait vu la recevoir. Mais une seule personne au monde pouvait en répéter les termes, vous. »

Je bâillai.

« Tout ceci est fort intéressant, dis-je, mais je n'en vois pas la conclusion.

— Vraiment ? Souvenez-vous de ce que j'ai dit. L'inspecteur Raglan saura la vérité demain matin. Mais, à cause de votre excellente sœur, je veux bien ouvrir une porte de sortie. Une dose trop forte de narcotique, par exemple... Vous me comprenez ? Le capitaine Ralph Paton doit être disculpé, cela va sans dire, et je vous propose de terminer votre intéressant manuscrit... en renonçant à vos réticences.

— Vous ne paraissez pas à court de suggestions, remarquai-je. Avez-vous terminé ?

— Puisque vous m'y faites penser, j'ai encore un mot à vous dire. Il serait très maladroit de votre part de chercher à me réduire au silence par le moyen que vous avez employé pour M. Ackroyd. Vous comprenez bien que ce genre d'opération ne réussit pas avec Hercule Poirot.

— Mon cher Poirot, répondis-je en souriant un peu, quelle que soit votre opinion à mon sujet, faites-moi la grâce de croire que je ne suis pas un imbécile. »

Je me levai.

« Il faut que je rentre. Merci pour votre intéressante et instructive soirée. »

Poirot se leva également et s'inclina avec sa politesse accoutumée tandis que je quittais la pièce.

CHAPITRE XXVII

APOLOGIE

Cinq *heures du matin :* Je suis très fatigué... mais ma tâche est terminée; ma main ne peut plus écrire. Etrange fin du récit que je voulais publier quelque jour pour décrire un échec de Poirot. Les événements s'arrangent d'une façon bizarre. J'avais eu le pressentiment d'un désastre depuis le moment où j'avais vu Mme Ferrars et Ralph Paton en grande conversation.

Je crus qu'elle se confiait à lui; je me trompais, mais j'avais encore cette idée dans l'esprit quand je me rendis avec Ackroyd dans son cabinet de travail et jusqu'au moment où il m'eut appris ce qu'il savait. Pauvre Ackroyd ! Je suis content de lui avoir donné une chance de vivre en le suppliant de lire cette lettre avant qu'il fût trop tard.

Mais non, soyons honnête... ne me rendais-je pas compte que c'était le meilleur moyen à employer avec un homme aussi entêté que lui, pour qu'il ne la lût pas ? Sa nervosité, ce soir-là, était fort intéressante à étudier au point de vue psychologique. Il savait qu'un danger le menaçait; pourtant il ne m'a jamais soupçonné !

Je n'avais pas pensé tout d'abord au poignard. J'avais apporté une arme, mais lorsque j'aperçus celle-là dans la vitrine, je songeai qu'il valait mieux l'employer car elle ne pourrait m'accuser.

Je suppose que j'ai eu l'intention de tuer Ackroyd depuis le moment où j'ai appris la mort de Mme Ferrars, car j'ai eu la conviction qu'elle avait dû se confier à lui avant de mourir. Lorsque je le rencontrai et que je le vis si ému, je crus qu'il savait la vérité, mais qu'il se refusait à l'admettre et voulait me donner l'occasion de me disculper. Je rentrai donc chez moi et pris mes précautions. Si ce qui préoccupait Ackroyd avait simplement concerné Ralph... il ne se serait rien produit. Il m'avait donné le dictaphone pour le réparer, deux jours auparavant. L'instrument était dérangé et je l'avais prié de me le laisser examiner plutôt que de le retourner au fabricant. Je le disposai comme je le voulais et l'emportai dans mon sac.

Je suis assez satisfait de moi comme écrivain. La phrase suivante n'est-elle pas parfaite ? « La lettre lui avait été apportée à neuf heures moins vingt. Il était juste neuf heures moins dix lorsque je le quittai sans qu'il eût achevé de la lire. La main sur la poignée de la porte, j'hésitai et regardai en arrière, me demandant si je n'avais rien oublié. »

Tout était exact. Mais supposons que j'aie mis une ligne de points après la première phrase ! Quelqu'un se serait-il jamais demandé ce qui s'était passé pendant ces dix minutes ?

Lorsque, arrivé à la porte, je me retournai, je fus satisfait. Tout était prévu. Le dictaphone était disposé sur la table près de la fenêtre; il devait fonctionner à neuf heures trente (le mécanisme de ma petite invention, basé sur le principe des réveille-matin, était assez ingénieux) et il était caché par le dossier du fauteuil que j'avais avancé.

Je dois avouer que ma rencontre avec Parker en franchissant la porte m'émut quelque peu. J'ai d'ailleurs fidèlement enregistré le fait. Plus tard, lorsque j'ai raconté comment le corps fut découvert et comment j'envoyai le maître d'hôtel téléphoner à la police, comme j'ai su judicieusement choisir mes mots ! Je fis le peu qu'il y avait à faire. Très peu de chose en vérité; simplement remettre le dictaphone dans mon sac et repousser la bergère à sa place, contre le mur. Je n'aurais jamais cru que Parker l'avait remarquée, car, logiquement, il aurait dû être effrayé à la vue du corps pour regarder autre chose. Je n'avais pas songé à sa mentalité de domestique bien stylé. Je regrette de n'avoir pas su que Flora déclarerait avoir vu son oncle vivant à dix heures moins un quart. Cela m'intrigua plus que je ne saurais le dire. D'ailleurs, dans toute l'affaire, bien des détails m'ont rendu perplexe. Il semblait que chacun y eût pris part.

Caroline m'effrayait, car je m'imaginais qu'elle pourrait deviner. Sa phrase au sujet de « ma faiblesse » était bizarre...

Elle ne connaîtra jamais la vérité. Comme le dit Poirot, il y a un moyen d'évasion...

Je puis avoir confiance en lui; il étouffera l'affaire, avec l'aide de l'inspecteur Raglan. Je ne voudrais pas que Caroline sût la moindre chose. Elle a de l'affection pour moi et elle est fière... Ma mort lui causera du chagrin, mais le chagrin s'atténue...

Lorsque j'aurai fini d'écrire, je mettrai le manuscrit dans une enveloppe que j'adresserai à Poirot.

Ensuite... que choisirai-je ? Du véronal ? Il y aurait là comme une sorte de justice poétique. Non pas que je me sente responsable de la mort de Mme Ferrars; cette mort a été la conséquence directe de son acte. Je n'éprouve pas de pitié pour elle.

Je n'en ai pas non plus pour moi...

Décidément, je choisirai le véronal...

Mais comme je voudrais qu'Hercule Poirot n'eût pas pris sa retraite et ne fût pas venu ici cultiver des citrouilles !

9:45-10 murder took place

ROMANS D'AGATHA CHRISTIE

disponibles soit dans le MASQUE, soit dans le CLUB DES MASQUES

A la Librairie des Champs-Élysées

A. B. C. contre Poirot.
L'Affaire Prothéro.
Les Travaux d'Hercule.
Les Écuries d'Augias.
Miss Marple au Club du Mardi.
Le Club du Mardi continue.
A l'hôtel Bertram.
Mr. Parker Pyne professeur de bonheur.
La Troisième fille.
Les Enquêtes d'Hercule Poirot
Le Mystérieux Mr. Quinn.
Mr. Quinn en voyage.
Témoin a charge.
La Nuit qui ne finit pas.
Mon petit doigt m'a dit.
La Fête du Potiron.
Une mémoire d'éléphant.
Cartes sur table.
Le Chat et les Pigeons.
Le Cheval pale.
Cinq heures vingt-cinq.
Cinq petits cochons.
Le Couteau sur la nuque.
Le Crime de l'Orient-Express.
Le Crime du golf.
Destination inconnue.
Dix petits Nègres.
Drame en trois actes.
Le Flux et le Reflux.
L'Heure Zéro.
L'Homme au complet marron.
Les Indiscrétions d'Hercule Poirot.
Je ne suis pas coupable.
Jeux de Glaces.
Le Major parlait trop.
La Maison biscornue.
La Maison du péril.
Mr. Brown.
Meurtre au champagne.
Le Meurtre de Roger Ackroyd.
Meurtre en Mésopotamie.
Mrs. Mac Ginty est morte.
Mort dans les nuages.
La Mort n'est pas une fin.
Mort sur le Nil.
La Mystérieuse Affaire de Styles.
N. ou M.
Némésis.
Le Noël d'Hercule Poirot.
Passager pour Francfort.
Les Pendules.
Pension Vanilos.
La Plume empoisonnée.
Une Poignée de seigle.
Poirot joue le jeu.
Poirot résout trois énigmes.
Pourquoi pas Evans.
Les Quatre.
Rendez-vous a Bagdad.
Rendez-vous avec la Mort.
Le Retour d'Hercule Poirot.
Le Secret de Chimneys.
Les sept Cadrans.
Témoin indésirable.
Témoin muet.
Le Train bleu.
Le Train de 16 h 50.
Un, Deux, Trois...
Un Meurtre est-il facile?
Un Meurtre sera commis le...
Un Cadavre dans la bibliothèque.
Les Vacances d'Hercule Poirot.
Le Vallon.
Le Miroir se brisa.
Douze Nouvelles.
Le Cheval a bascule.
Poirot quitte la scène.
Associés contre le crime.
Le Crime est notre affaire.
Allô Hercule Poirot.

Ackroyd — Ralph (step-son) adopted Paton

Miss Russell ——— ~~a patient~~? Ackroyd's ~~staff~~ housekeeper

Miss Gannett ——— friend of Carolyn?

Flora Ackroyd's (~~Ackroyd's~~ niece) ——— Ralph's fiancee

Hector Blunt ——— a hunter

Mme. Ferrars — died page 1

M. Geoffrey Raymond — Ackroyd's secy.

Mme. Ackroyd (~~Paton~~?) — Flora's mother A's sister-in-law

Insp. Davis

Mélèzes ——— where Poirot lives

Insp. Raglan — of Cranchester

Col. Melrose

Hammond — Family solicitor

Elsie Dale — maid

Ursula Bourne "

Mrs Cooper - cook

IMPRIMÉ EN FRANCE PAR BRODARD ET TAUPIN
Usine de La Flèche (Sarthe).
LIBRAIRIE GÉNÉRALE FRANÇAISE - 6, rue Pierre-Sarrazin - 75006 Paris.
ISBN : 2 - 253 - 00696 - 3

Mary Thripp - Kitchen

navré – grieved
aboutir – to succeed, come off
s'en rendre compte – to realize
quoi qu'il en soit – be that as it may
afin de – as
épargner – to spare
au premier abord – to begin with